vida
organizada

CARO LEITOR,

Queremos saber sua opinião sobre nossos livros.
Após a leitura, curta-nos no facebook/editoragentebr, siga-nos no Twitter @EditoraGente e visite-nos no site www.editoragente.com.br. Cadastre-se e contribua com sugestões, críticas ou elogios.
Boa leitura!

THAIS GODINHO

vida organizada

Como definir prioridades e transformar seus sonhos em objetivos

Editora
Marília Chaves

Assistente Editorial
Carolina Pereira da Rocha

Produtora Editorial
Rosângela de Araujo Pinheiro Barbosa

Controle de Produção
Fábio Esteves

Preparação
Cecília Floresta

Projeto gráfico
Neide Siqueira

Diagramação
Join Bureau

Revisão
Vero Verbo Serviços Editoriais

Imagens de miolo
vasabii/Shutterstock

Capa
Miriam Lerner

Imagem de capa
nuiiun/Thinkstock/Getty Images

Impressão
Gráfica Rettec

Copyright © 2014 by Thais Godinho
Todos os direitos desta edição são reservados à Editora Gente.
Rua Natingui, 379, Vila Madalena
São Paulo, SP – CEP 05443-000
Telefone: (11) 3670-2500
Site: http://www.editoragente.com.br
E-mail: gente@editoragente.com.br

Dados Internacionais de Catalogação na Publicação (CIP)
(Câmara Brasileira do Livro, SP, Brasil)

Godinho, Thais
  Vida organizada: como definir prioridades e transformar seus sonhos em objetivos/Thais Godinho. – São Paulo: Editora Gente, 2014.

  ISBN 978-85-7312-971-7

  1. Administração do tempo 2. Autorrealização 3. Desenvolvimento humano 4. Felicidade 5. Planejamento estratégico 6. Qualidade de vida I. Título.

14-06223   CDD-158.1

Índices para catálogo sistemático:
1. Projeto de vida pessoal: Planejamento e execução:
   Autoajuda : Psicologia aplicada   158.1

Dedico este livro à
iluminação dos seres vivos.

Agradecimentos

Gostaria de agradecer a absolutamente todas as pessoas que fizeram parte da minha vida até o momento, que me incentivaram, ajudaram e auxiliaram indiretamente por meio das mais variadas ações.

Agradeço a todos os leitores do blog, que acompanham as atualizações desde 2006. Este livro só existe graças a vocês.

Também agradeço de coração a confiança de toda a equipe da Editora Gente, que me propôs a publicação deste livro.

Agradeço às três joias, nas quais busco refúgio.

Ao Daniel, uma das pessoas mais bacanas que já conheci, pela ajuda em um momento crucial da minha vida.

Ao David Allen por criar o método de organização perfeito.

À Martha Stewart pela inspiração diária.

À minha amiga Leise por sempre me incentivar a correr atrás dos meus sonhos e vibrar a cada conquista junto comigo.

Agradeço às minhas amigas de infância: Daniela, Karina, Andréa e Adriana, que sempre tiveram muita paciência.

Agradeço ao meu amigo Douglas, por mostrar que eu precisava ter uma vida simplificada; ao meu amigo Vinícius, que me disse que nossa casa deve ser o nosso templo; à minha amiga Cibele, por sempre me dar apoio; à minha amiga Camila, por estar sempre por perto.

Sou muito grata à minha família, por ter cuidado de mim desde que nasci, e à minha sogra, por sempre dar todo o apoio quando precisamos.

Agradeço à minha avó, por absolutamente tudo o que sou hoje; à minha mãe, por me ensinar a crescer rápido; e ao meu pai, que me ensinou a nunca aceitar a mediocridade.

Não posso deixar de agradecer ao meu marido, amigo, companheiro, que sempre cuidou de tudo para que eu pudesse me dedicar ao meu sonho.

E, por fim, agradeço ao meu filho simplesmente por existir e fazer de mim uma pessoa melhor.

Sumário

Introdução **13**
    Ser organizado faz bem! **20**
    Organizar é buscar soluções **24**

Capítulo 1
    Por onde começar quando tudo está um caos? **27**
    Pode não ser fácil, mas é possível! **35**
    A hora de tomar uma decisão **38**
    A funcionalidade **42**
    Há um segredo para as pessoas serem organizadas? **48**
    Para começar, é preciso planejar **53**

Capítulo 2
    Como alcançar nossos objetivos? **59**
    Prioridades de longo, médio e curto prazo **65**
    Por que os objetivos são tão importantes? **71**

Capítulo 3
Pausa para começar a destralhar! 81
Destralhar: um processo sem fim 89
Dicas para diminuir a quantidade de papel em casa 93
O que fazer com os papéis que precisam ser guardados? 96
As 43 pastas de David Allen 97

Capítulo 4
Começando a criar rotinas 99
Encontre seu método de organização 105
Começando uma rotina para as tarefas da casa 107
Rotina não é horário fixo, mas sequência 116
Itens básicos para a vida organizada 116
Como planejar o menu semanal: guia prático para mães e pais muito ocupados 118

Capítulo 5
Agenda, compromissos e tarefas: manual do usuário 121
Como planejar a agenda 127
Fuja dos mitos! 129
Como usar a agenda do Google (Google Calendar) 135
Revisões constantes: esse é o segredo 137
Projetos e tarefas 138
Como organizar os e-mails 141

Capítulo 6
Casa em ordem, mente sã   145
Organizando os papéis da casa   152
Cada coisa em seu lugar   153
Expectativas   154
A limpeza   159
Atitudes simples para aliviar o estresse   172
Decoração e praticidade   176

Capítulo 7
Como destralhar sua *checklist* do trabalho   179
A rotina do trabalho   183
E quando a internet não está disponível?   186
Coisas importantes para evitar cair no mal da procrastinação   188
Guia rápido para se organizar no trabalho   193

Capítulo 8
1, 2, 3: é só começar   197
Todos os dias podem ser especiais   205
Não há problemas em dividir   209
Por que eu gosto tanto de organizar as coisas?   211

Epílogo   219

Introdução

Eu sei que você não tem tempo. Tenho certeza de que, neste exato momento, você mal tem tempo para ler o resumo deste livro. Se você já tentou se organizar, mas não obteve sucesso, este livro é para você. Se você frequentemente se sente sufocado com o excesso de informação que chega pela internet, pelo e-mail ou pelo celular todos os dias, este livro é para você. Se você vive adiando projetos importantes ou deixando de correr atrás dos seus sonhos porque a vida é uma correria tremenda, já deve ter adivinhado: este livro é para você.

Vida organizada é um livro sobre prioridades. Mais do que dicas de organização, aqui você encontrará soluções para não só colocar sua vida em ordem como também alcançar seus objetivos que hoje parecem distantes.

Sei como é fácil deixar que as coisas saiam do controle, principalmente dentro de nossa casa. São tantos afazeres que não é raro parecer que estamos vivendo dentro do próprio caos: comida para fazer, coisas para colocar no lugar, casa para limpar, filhos para cuidar. A rotina é insana. Aprendi, porém, que esse cenário pode ser melhorado, que é possível transformá-lo, e aqui você descobrirá caminhos que poderão ajudá-lo tanto quanto me ajudaram.

Afinal, tornar-se uma pessoa organizada é um processo construído aos poucos, de acordo com as características e as necessidades de cada um. Não existe um "manual definitivo com dicas de organização", cuja leitura seja o suficiente para tornar qualquer pessoa bem-sucedida e organizada para sempre. Há tantas fórmulas boas quanto personalidades. Este livro vai ajudar você a encontrar suas prioridades e ter o controle de sua vida.

Quando criei o blog *Vida organizada*, em 2006, não acreditava que ele pudesse se tornar fonte de referência em termos de organização e, muito menos, que me levasse a publicar um livro a respeito. No entanto, isso aconteceu, e uma série de outros fatos, desde então, me fez chegar até o momento presente e escrever este livro para você.

Por exemplo: a primeira palavra que meu filho falou, aos seis meses, foi "tique-taque".

Tudo bem, eu sei que minha avó foi a grande responsável por isso – ela brincava de mostrar os ponteiros se mexendo e o ensinou a fazer o barulho do relógio. O que pode parecer algo simples para qualquer um se tornou para mim uma reflexão: meu filho, desde muito novo, já sabia o que era um relógio. Ele não sabia o que significava, mas sabia que existia – antes até de saber o que é mar, barco, cavalo, cinema, chiclete. E, então, cheguei à conclusão de que esse fato é somente uma característica da nossa sociedade atual. Não fiquei surpresa quando o peguei manuseando o mouse pela primeira vez, equilibrando-se desengonçadamente sobre a cadeira à mesa do computador, logo depois de ter aprendido a dar seus primeiros passos.

Gosto de ter essa lembrança em mente quando penso nas atividades que precisamos concluir todos os dias. Ficaria espantada se alguém realmente conseguisse lidar com essa quantidade enorme de informações e eventos de maneira tranquila e sem o suporte de outras pessoas. Se você está se perguntando agora como consigo fazer tudo o que quero, a resposta é muito simples: eu não consigo. Ninguém consegue. Pode respirar aliviado, caro leitor, pois estamos todos na mesma situação! Hoje, temos tanto a fazer e tão pouco tempo disponível. É uma pena não conseguirmos fazer tudo aquilo que gostaríamos. Na verdade, até dá, mas não ao mesmo tempo.

Levante a mão quem já pensou em ter filhos, mas somente depois de fazer um mestrado. Ou viajar para um país incrível, desejo antigo, mas somente depois de abrir o próprio negócio, ter estabilidade, talvez esperar mais uns cinco ou seis anos...

Todos nós temos sonhos. Todos nós temos planos e metas que gostaríamos de realizar "quando der". E, enquanto isso, ainda temos uma casa para cuidar, compromissos familiares, consultas médicas, filas de banco – é coisa que não acaba mais. A vida, porém, é uma só, e ela passa. Quando compreendi isso, parei de viver sem sentido e passei a usar a organização a meu favor, para ter uma vida que realmente fosse realizada. E esse é o conceito de vida organizada que eu quero passar para você: o de uma vida coerente com o que cada um é, busca para si e o faz feliz, de objetivos profissionais a uma gaveta arrumada no armário de casa.

No entanto, eu não nasci organizada. Na verdade, acredito que poucas, raríssimas pessoas, nasçam.

Fui uma criança bastante bagunceira. Nunca tive muita noção de organização e, na adolescência, meu guarda-roupa era definido como um amontoado de roupas amassadas. Foi mais ou menos com uns 14 anos que percebi o seguinte: "Se eu não começar a me organizar na escola, vou me dar mal nas provas".

Foi um longo processo. É difícil se organizar quando você não tem nenhum método definido ou muita motivação para isso. Mesmo assim, mantive um nível mínimo e consegui passar sempre com notas altas. Menos em Matemática, é claro, porque milagres não existem, mas sempre consegui passar de ano razoavelmente bem, pelo menos.

Comecei, então, a perceber que deveria dar um passo além no fator organização quando cheguei ao último ano do ensino médio (que era chamado de colegial). Naquele momento, eu me dei conta de que, se não organizasse meus estudos seriamente, não passaria em uma boa faculdade, que era meu objetivo. Durante o ano todo, estudei bastante e, no ano seguinte, quando entrei no cursinho, já tinha meu método pessoal de organização, que deu muito certo e me permitiu ser aprovada na faculdade que eu queria.

Todo o resto, como o meu quarto de adolescente, roupas e livros, entrou na organização ao mesmo tempo. Eu não conhecia métodos famosos como GTD (*Getting Things Done*), FlyLady, nada, mesmo porque não tinha internet ou acesso a essas informações na época. No entanto, eu me organizava com dicas que lia em revistas que me chamavam a atenção e outras maneiras que acabava inventando, de acordo com minhas necessidades e minha experiência prévia.

Comecei a procurar mais pelo assunto, chegando aos livros. Posso dizer que me tornei "viciada em organização" quando comecei a trabalhar na minha área profissional (sou formada em Publicidade), pois conciliar trabalho e faculdade é muito difícil (todas as forças do mundo para você que está fazendo isso agora).

Em 2006, no final da faculdade, já trabalhando em uma agência, resolvi criar o blog para compartilhar dicas, mas sem saber muito bem no que ia dar. Não tinha nenhuma pretensão. Eu só queria escrever sobre um assunto pelo qual era – e sou – apaixonada sem saber tudo o que ele acabaria me proporcionando em termos pessoais e profissionais.

Costumo dizer que a organização é um bichinho que morde você. De repente, você fica obcecado pelo assunto e quer organizar a casa inteira; mas passa. Eu já vivi esse frenesi e fico contente que tenha passado porque, apesar de ser uma boa empolgação, não dá para deixar que ela tome conta da sua vida. E isso aconteceu comigo muitas vezes. Estava tão aficionada pela organização de tudo que, quando estava perdida em um mar de etiquetas, um amigo comentou comigo: "Você não deveria ter uma vida organizada, mas uma vida simplificada".

Aquilo foi um choque de realidade para mim, e percebi que realmente precisava simplificar todo o processo. Afinal, de que serviam pastas e mais pastas se elas acabavam se tornando mais tralha na minha casa? Não seria melhor parar de comprar coisas durante algum tempo, diminuindo a quantidade de objetos?

Foi assim, descobrindo conceitos básicos de minimalismo, que todo o meu processo de organização começou a amadurecer. Se eu não simplificasse, a organização pessoal seria meu segundo emprego – e deve ser o que você, leitor, pensa sempre: que ser uma pessoa organizada exige tempo demais e que seria impossível parar tudo para ficar arquivando e colocando etiquetinhas pela casa (e, mais louco ainda, fazer outras pessoas que convivem com você respeitarem as tais etiquetinhas!).

Então, não se preocupe, pois simplificação é o que buscamos aqui. Quando meu amigo me aconselhou a simplificar a vida, foi a grande oportunidade que faltava para que eu começasse a vê-la de maneira diferente.

Eu me desfiz de muita coisa, muitas roupas, muita papelada. Eu era muito consumista. Nunca guardei dinheiro. Então, mudar radicalmente é uma coisa que hoje eu não faria nem recomendaria a ninguém, mas na época foi necessário. Se eu não tivesse radicalizado, talvez jamais descobrisse o equilíbrio. Fui de um extremo ao outro. Li *Walden ou a vida nos bosques*, de Henry David Thoreau (Ground, 2007), pedi demissão, comecei a viajar para fazer trilhas, enfim, buscava uma vida mais simples. O que eu, porém, poderia fazer? Trabalhar como vendedora em uma livraria? Mudar de profissão?

Depois de um breve período de indefinições, consegui me organizar para trabalhar em casa. Meu marido e eu tivemos um filho, e pude cuidar dele até os oito meses, quando voltei ao mundo corporativo, onde permaneci durante mais alguns anos.

Hoje, considero meu nível de organização quase ideal: sei o que precisa ser feito e faço, mas sem dramas. Mesmo porque é impossível buscar a perfeição com um filho pequeno em casa. E vou além: não só com um filho, mas com a quantidade abissal de atividades que as pessoas têm hoje em dia, independentemente da idade. É preciso exercitar todo o nosso lado zen para conseguir priorizar atividades em detrimento de outras tão importantes.

Porque não estamos mais decidindo entre assistir ao *Big Brother* ou estudar para a faculdade, mas entre ficar com o filho ou ir a um encontro profissional às 20 horas. Virou fato comum uma pessoa ter seu emprego principal e uma segunda atividade remunerada que ajuda nas finanças familiares, além de hobbies que demandam bastante tempo. Quem trabalha e estuda não sabe o que é sair de casa depois das 6 e chegar antes das 23 horas. A vida está difícil. Todos nós estamos muito ocupados, até as crianças, pois nem mesmo as escolas em tempo integral acompanham o horário do trânsito. E, se acompanhassem, seria esse o jeito certo de investir nosso tempo (e o delas) na vida?

O que vou mostrar para você é que se organizar não significa desperdiçar tempo, mas simplificar a vida, ganhando horas preciosas. Mesmo trabalhando, estudando, cuidando dos filhos e gastando horas de condução (ou de trânsito) todos os dias, é possível se organizar aprendendo a priorizar suas atividades.

Ser uma pessoa organizada ajuda a controlar muita coisa em nossa vida. O mais importante, porém, é que a organização cria um filtro: aprendemos a dizer não para atividades que afogariam nosso tempo e descomplicamos a vida de uma maneira antes inimaginável.

É fundamental ter em mente – e acho que você já deve imaginar, com sua experiência até aqui – que a organização não é um processo que pode ser realizado de um dia para o outro. É mais do que simplesmente fazer uma faxina em casa – esvaziar um cômodo inteiro, jogar fora o que não presta e guardar o restante. Mesmo porque, se você for uma pessoa acumuladora, em menos de seis meses o cômodo estará cheio de novo. Organização é como reeducação alimentar: vamos aprendendo aos pouquinhos como funciona e tomando pequenas atitudes no dia a dia que vão construindo os resultados ao longo de toda a nossa vida. A reeducação se torna um hábito e, com ele, nosso caminho vai sendo moldado de acordo com o que queremos.

Eu gostaria de falar sobre um mito bastante comum quando se trata de organização: muitas pessoas acreditam que, para ser organizado, é preciso ser viciado em arrumação. E não é verdade! Ser organizado não é bitolação, mas significa ter o controle daquilo que você efetivamente pode controlar em sua vida. É garantir que daqui a cinco, dez, trinta anos você não pense que poderia ter feito isso ou aquilo quando era mais novo, que não aproveitou o tempo. Quando pensar em organização, quero que, daqui em diante, você associe o termo à realização pessoal. O grau de organização que você precisa alcançar para conseguir isso varia muito – pode ser mais simples para uns e mais complexo para outros, de acordo com os objetivos pretendidos. Não há modelos ideais ou regras escritas em pedra.

Ser organizado faz bem!

Para o caso de você ainda não estar convencido da importância de ser uma pessoa organizada, listei alguns bons motivos para lhe fazer refletir sobre essa decisão. Afinal, quando você tem uma vida organizada, é isso o que acontece:

1 O espaço da sua casa é aproveitado da melhor maneira possível! Você nunca vai olhar para um canto cheio de tralha e se sentir mal por não fazer nada a respeito.

2 Você não perde tempo procurando coisas porque sabe onde elas estão. (Um minuto de silêncio por todos os guarda-chuvas, chaves, contas e documentos perdidos.)

3 Você não fica estressado só de pensar que precisa organizar isso e aquilo. A vida está em ordem e basta administrá-la.

4 Você nunca mais comprará um objeto que já tinha em casa, mas não sabia onde estava. Ou seja: economizará dinheiro.

5 Além disso, também aproveitará melhor as coisas que já tem, incluindo alimentos, pois ficará de olho na validade. Nunca mais vai jogar aquele pão inteirinho fora (porque mofou e você não percebeu), ou aquelas frutas que na semana passada estavam lindas no mercado.

6 Você não compra o que não precisa, pois conhece o espaço que tem e suas necessidades. Economiza dinheiro mais uma vez.

7 Suas coisas duram mais tempo, pois você consegue ter uma rotina de cuidados que não envolve "comprar um novo" se algo apresentar defeito ou estragar por ter sido mal armazenado.

8 Você é feliz com sua casa e não tem aquela vontade constante de se mudar para um lugar maior "porque tem bastante coisa". Você possui o suficiente e se organiza com o espaço que tem.

9 Você faz doações regulares a instituições de caridade, ajudando quem precisa enquanto libera espaço na casa, desfazendo-se de objetos sem uso.

10 Você consegue dar atenção aos seus filhos, namorado, cônjuge, amigos, família, porque consegue administrar o tempo.

11 Suas metas são atingidas porque você tem um plano.

12 Você vive uma vida coerente com seus objetivos de curto, médio e longo prazo. Não perde tempo com besteiras.

13 Você aprende a não reclamar do tempo. Você sabe que o dia tem 24 horas e vive todas elas satisfeito ou, pelo menos, em paz por ter feito o seu melhor.

14 Sua mente está tranquila.

15 Você não se estressa tanto, uma vez que tem tudo aquilo que é possível (ou a maioria das coisas) sob controle.

16 Você trabalha melhor, com foco, e executa projetos sem se esquecer de nenhum ponto.

17 Você respeita as pessoas.

18 Você consegue ir atrás dos seus objetivos, não importa a idade que tenha.

19 Você consegue descansar.

20 Você fica orgulhoso de si mesmo a cada virada de ano e a cada nova conquista.

21 Você consegue cuidar de sua saúde e da saúde de sua família, especialmente no que diz respeito à alimentação.

22 Você se previne e não é surpreendido nas diversas situações do dia a dia.

23 Você tem mais tempo para fazer o que realmente ama.

24 Você sabe que, no dia em que morrer, não terá se arrependido das coisas que não fez, porque encontrou tempo para fazer tudo o que era importante para você!

25 Você deitará sua cabeça no travesseiro todas as noites sem se preocupar com o que deveria ter sido feito ou que deverá ser realizado amanhã, pois você tem um método que garante a segurança de fazer o que é preciso na hora certa.

É importante saber escolher para investir o tempo em atividades e eventos gratificantes. Você pode ficar desanimado muitas vezes para limpar a casa ou cuidar de sua família porque "dá trabalho". É normal e muito comum, pois não somos máquinas ou super-heróis. Talvez você não precise de motivação ou força de vontade, mas de uma mudança de perspectiva.

No mais, o conceito de "dar trabalho" significa uma série de outras coisas. Repense-o. Organizar-se dá trabalho? Para quem não vê benefícios em se organizar, pode parecer que sim. Para mim, porém, o que realmente dá trabalho é ter uma vida bagunçada e nunca conseguir se lembrar de nada, ou passar horas procurando por algo perdido. Realmente, isso dá um trabalhão! E muitas pessoas – talvez até mesmo você, querido leitor – vivem dessa maneira.

Portanto, para qualquer coisa na vida que você julgue "dar trabalho", pergunte-se primeiro qual é a sua motivação para fazer aquilo. Se não for suficiente, não vale a pena. Se for, não encare como trabalho, mas como parte de uma decisão pessoal tomada a fim de que você e todos à sua volta fiquem bem.

Às vezes, uma simples mudança de perspectiva já gera a força de vontade que você achava que não tinha mais. Vou fazer uma revelação: ser uma pessoa organizada não é ter uma casa perfeitamente limpa o tempo inteiro. Especialmente se você tem filhos, precisa aceitar que sua casa não ficará arrumada todo o tempo, a não ser que você tenha um empregado que cuide de tudo.

Para a imensa maioria dos mortais, no entanto, a limpeza e a arrumação diárias ficam por conta dos moradores mesmo, seja um, sejam oito que vivem dentro de casa.

Não confunda organização com a arrumação que fazemos diariamente. Arrumar é simplesmente tirar um objeto da frente. É pegar o sapato que está na entrada e jogar dentro do armário, cheio de outros pares desorganizados. Você fecha o armário e o ambiente está arrumado. Arrumar é fácil, mas não resolve o problema. E, como você deve ter percebido, não se trata só de sapatos.

Organizar é buscar soluções

Organizar é buscar soluções. É perceber que, se todo mundo deixa a chave em cima do *rack* e o porta-chaves fica vazio, talvez seja melhor colocar um cestinho ali para acomodar os chaveiros. Ou, então, se dar conta de que muitas coisas podem ser feitas antes de dormir, garantindo preciosos minutos pela manhã. É planejar com antecedência. Reconhecer o problema, identificar a solução e executá-la.

Organização tem a ver com funcionalidade, não com beleza, aparência, limpeza, arrumação. Ser organizado é criar sistemas que facilitem o dia a dia. É possibilitar a arrumação.

Aí depois entra a boa vontade também, é claro. Se tenho um sistema de arquivamento de contas, não vou bagunçá-lo, pois sei que ele funciona. Também sei que, se não guardar a conta que paguei em uma pasta, ela vai ficar jogada e perdida por aí. Então, qual é o ponto? O mínimo esforço diário para arrumar as coisas já mantém tudo funcionando, mas isso só é possível se você tiver encontrado soluções anteriormente.

Arrumar é o primeiro passo para deixar a casa em ordem, mas devemos ir além disso. O resultado é um desgosto toda vez que abrimos a porta do guarda-roupa ou da geladeira. Está tudo ali, mas onde mesmo? É difícil de procurar e de pegar. Acabamos desistindo e, muitas vezes, compramos um novo objeto para repor aquele que foi perdido. Se tivéssemos menos coisas, em quantidade adequada ao espaço disponível em casa, isso não aconteceria. A organização precisa ser mais fácil que a bagunça – guarde esse conceito.

As pessoas (todas, eu inclusive) são preguiçosas no mais íntimo do seu ser! Vamos sempre pelo caminho mais fácil. O segredo da organização é tornar o organizado a opção mais fácil. Se você dispuser um cesto para as roupas sujas na frente do chuveiro, seu filho não jogará as roupas no chão. Entende? Assim como você não colocará as chaves em cima da mesa da cozinha se tiver um porta-chaves na porta de entrada, por exemplo.

Ser organizado não é ser perfeito, nem manter a casa brilhando o tempo todo. É fazer as coisas funcionarem. Não confunda aparência e arrumação com organização. Livre-se desse mito e encare o processo de organização com outros olhos. Mesmo porque, ser uma pessoa organizada vai muito além de ter uma casa com tudo no lugar. Tem a ver com viver uma vida plena, coerente com nossa personalidade, nossos sonhos e objetivos. Você vai reler esse conceito muitas vezes ao longo deste livro, porque ele é a chave do entendimento daquilo que significa ter uma vida organizada. Esqueça as tralhas guardadas dentro de caixinhas – acho que nunca o termo "pensar fora da caixa" caiu tão bem!

Neste livro, vou explicar muito do meu modo de pensar e viver, que me ajudou, assim como a milhares de leitores do blog, a diminuir o estresse e o caos do cotidiano. E espero sinceramente que ele também possa ajudar você a conquistar uma vida organizada, leve e feliz!

Vamos começar?

Capítulo 1

Por onde começar quando tudo está um caos?

Você conhece muito bem o seguinte cenário: chegar em casa depois do trabalho, vê-la em um estado caótico, louça acumulada na pia, roupa estendida no varal, sujeira do cachorro para recolher e algum alimento estragando dentro da geladeira, o qual você mal consegue ter tem tempo para identificar. Não dá para pensar muito bem a respeito porque, afinal, a comida precisa sair em menos de meia hora e, até lá, você precisa estar trocado e seus filhos, de banho tomado. Seu marido ou sua esposa tem um compromisso esta noite e são apenas você e os deuses hoje. Mesmo trabalhando em equipe, admita: é MUITA coisa para fazer. Você não entende como existem pessoas que conseguem levar uma vida desse jeito e ainda manter casa limpa, roupa em ordem, comida feita, motivação para o trabalho e hobbies diferentes.

Então, você resolve se sentar um pouco no sofá para descansar e pensar que, enfim, sua casa não está tão ruim assim. Tem pelo no tapete, mas quem liga? As crianças estão brincando no computador e o cachorro está feliz com o novo osso. No entanto, o que aconteceria se, de repente, alguém se acidentasse? Onde estão a carteirinha do convênio, os seus documentos e a chave do carro? Você teria com quem deixar um dos seus filhos? E o cachorro, vai ficar sem comer? Nessas horas, não tem jeito: a gente percebe que ou aprende a se organizar ou acaba tendo um treco antes dos 30, 40, 50 anos...

A grande pergunta é: por onde começar? Há tanto a ser feito que acabamos não fazendo nada, e a situação continua assim, indefinidamente.

Quando falamos em organizar a vida, logo pensamos em ter uma casa com tudo no lugar, dia a dia sem correria, agenda sob controle e nenhum projeto atrasado. Sim, esse cenário é típico de uma pessoa que possui a vida organizada, mas pouco se fala sobre como chegar lá. Há livros que nos ensinam a organizar a casa. Para gerenciamento de projetos, também, um monte. Então, por que as pessoas continuam desorganizadas? Por que ainda lidamos com atrasos e temos tanto estresse diariamente?

Porque não é fácil. Porque o mundo não para enquanto estamos aprendendo, engatinhando. Organizamos nossos e-mails hoje e, meia hora depois, a caixa de entrada já está cheia de novas mensagens. Se não tivermos um processo contínuo de organização, a bagunça volta em pouquíssimo tempo, e, aí, não adianta sentar e chorar, ou pior: fechar a aba do e-mail no navegador e fingir que ele não existe até o próximo acesso. Trata-se de uma escolha que você deve fazer se precisa ou quer se organizar, sem desculpas. E, ao tomar essa decisão, entender como funciona e colocar a mão na massa sem delongas.

Ser organizado é um hábito e, como todos os hábitos, é preciso começar aos poucos, sem expectativas muito altas, e ir desenvolvendo devagar, até finalmente alcançar aquilo que consideramos o ideal, ou ao menos chegar o mais próximo disso. Esse dia pode acontecer em uma semana ou em três anos, ou talvez nunca fiquemos completamente satisfeitos. Lembre-se: existem tantas maneiras quanto personalidades, e tudo depende de você.

Será que dá para falar em um cenário ideal quando se trata de organização? Varia muito de pessoa para pessoa. Tente fazer esse exercício agora, pensando em como seria o seu. Para ajudar, vou descrever o dia ideal de uma mãe de 45 anos, casada, com um filho adolescente, que trabalha em período integral e cursa um MBA à noite duas vezes por semana.

Essa mãe, que vou chamar de Daniela, acorda todos os dias às 5h45. Ela faz seu exercício de yoga de vinte minutos e, na sequência, prepara o café da manhã da família. Depois de tomar banho, acorda todo mundo, às 6h30, e toma seu café junto com eles. Às 6h45 termina de se arrumar, enquanto o marido e o filho fazem o mesmo. Às 7h15 ela beija o marido no rosto, sai de casa, leva o filho para a escola e, depois, segue para o trabalho, onde inicia as atividades por volta das 8 horas.

No trabalho, não checa os e-mails. Em vez disso, verifica a agenda do dia, na qual tem definidas as três tarefas mais importantes, que precisa executar ainda pela manhã, e trabalha intensamente nelas. Depois de cerca de uma hora e meia de trabalho, faz uma pequena pausa para um café e volta ao seu posto, onde termina o que precisa ser feito. Na sequência, confere seus e-mails.

Na hora do almoço, ela aproveita para conversar com um colega de outra área que está trabalhando em um projeto de *startup* fora da empresa, pois gostaria de algumas dicas de marketing, sua área de atuação. Ela também aproveita para comentar sobre alguns investimentos que vem fazendo, uma vez que ele trabalha com finanças. O almoço foi uma boa distração, sem deixar de ser produtivo e, antes de voltar para a empresa, ela passa de carro na lavanderia e busca o edredom que tinha deixado lá há uma semana.

À tarde, conduz duas reuniões com sucesso, pois as apresentações já tinham sido preparadas há cerca de três dias. Pouco antes de ir embora, confere novamente os e-mails e cobra de determinadas pessoas prazos que vencerão nos próximos dias. No caminho para casa, ouve seu CD preferido no carro, para tirar o trabalho da cabeça e chegar em casa com ânimo diferente.

Como foi dia da diarista, que vem quinzenalmente fazer a faxina mais pesada, ela não precisa fazer grandes atividades de limpeza além de lavar a louça e tirar a roupa limpa e seca do varal, mas o marido já havia feito isso. Ela apenas precisou guardá-las no armário e cuidar do jantar, que já estava previamente planejado quando elaborou o menu semanal da família no fim de semana. Enquanto a comida estava no fogo, ela aproveitou para tomar um banho rápido e conversar com o filho sobre o dia, oferecendo apoio para sua lição de casa.

A família faz a refeição e, depois, Daniela lava a louça, uma vez que seu marido tinha lavado a do café. O filho vai terminar a lição de casa sozinho e o marido investe seu tempo em outra atividade. Ela aproveita que a família está entretida para estudar um novo idioma, o espanhol, a pedido da empresa em que trabalha. Dedica-se a essa atividade durante uma hora, antes de preparar um chá e se sentar no sofá com a família, quando, juntos, assistem a um filme por volta das 21 horas. Às 22h30, ela inicia sua rotina noturna, que envolve

Por onde começar quando tudo está um caos?

escovar os dentes e separar a roupa para o dia seguinte, indo deitar por volta das 23 horas na companhia do marido.

Há dias em que Daniela precisa cuidar de outros assuntos em casa, como limpar a sujeira causada pela queda de um pote de molho no chão, fazer pequenas manutenções ou mesmo gastar todo o tempo que possui à noite indo ao shopping e ao mercado para fazer compras semanais. Obviamente, também há dias em que pode deixar quase tudo de lado e curtir um tempo com a família. Ela, porém, organiza-se para realizar tudo isso e ainda ter tempo para se dedicar a si mesma e às pessoas que ama.

Pode até parecer um pouco cansativo ler o exemplo acima, mas será que o dia de uma pessoa desorganizada é muito diferente? Não. É preciso considerar, porém, que, uma pessoa desorganizada não é produtiva, então acaba perdendo tempo em atividades sem sentido ou demora mais que o necessário para concluí-las porque não planejou, além de deixar todos os afazeres acumulados e atrasados, tornando-se quase pequenos incêndios que terão de ser apagados às pressas por ela ou por outras pessoas. Esse não é um jeito legal de viver, sob o meu ponto de vista. Ninguém quer ser completamente metódico e organizado, mas penso que um mínimo de organização é essencial para não enlouquecermos a nós mesmos, nem aos outros.

Você já conseguiu imaginar como seria o seu dia ideal? Então é hora de descrevê-lo. É importante colocar no papel nossas ideias e nossos planos, pois assim fazemos um exercício de visualização e começamos a encará-los como propostas mais reais. Lembre-se de que não há nada definitivo aqui – o objetivo é fazer um pequeno exercício para que você crie intimidade com o assunto e possa refletir sobre sua organização.

Para começar, é preciso se dar conta de como está sua vida. Então, descreva sua rotina e como seu dia a dia é planejado (ou como ele acontece, se não há nenhum tipo de planejamento).

Agora, antes de prosseguir com a leitura deste livro, descreva seu ideal de vida organizada e como você gostaria que fosse sua rotina.

Por onde começar quando tudo está um caos?

Pode não ser fácil, mas é possível!

Com certeza, quando escreveu sobre seu ideal de ritmo de vida, você suspirou e pensou: "Seria tão bom se fosse assim!". Eu entendo, porque é realmente muito difícil fazer tudo o que gostaríamos, principalmente porque nos damos conta de que temos somente 24 horas por dia. Fatalmente, temos de excluir algumas atividades. Isso pode parecer chocante à primeira vista, mas não há outra maneira de se organizar. De certo modo, costumamos nos dar muita importância também. Há mais de sete bilhões de pessoas no planeta e todas possuem a mesma quantidade de horas. Por que algumas conseguem se organizar e outras não? Deixe o papel de vítima de lado e assuma a responsabilidade pela sua vida, pois ninguém mais pode fazer isso por você. Organizar-se é uma decisão exclusivamente pessoal.

O mundo está mudando, além de tudo. A tradicional noite com oito horas de sono é praticamente um mito. Pesquisas recentes mostram que o brasileiro tem dormido menos – cerca de seis horas por noite. Todo mundo tem afazeres demais e tempo de menos para dar conta de tudo, e o resultado é uma extensão do período que passamos acordados, sobrevivendo à base de café ou outros estimulantes. Não posso falar muito, pois adoro café! No entanto, a verdade é que estamos aumentando demais a duração do nosso dia, e isso não é nada saudável. Precisamos aprender a selecionar nossas atividades para não ter de parar obrigatoriamente por algum problema de saúde, por exemplo. Eu nunca quis ser aquela pessoa que morre de uma parada cardíaca antes dos 40 anos e, sinceramente, alguém quer?

Depois de fazer o exercício proposto anteriormente, você pode ter percebido que sua vida está exatamente o oposto do que gostaria e, então, deve estar pensando coisas do tipo: "Como faço para chegar lá?", "Minha vida é uma loucura: três filhos, gatos, cachorros... Não tem organização que dê conta!", "Você não entende minha rotina. Acordar às 5h30 para ir trabalhar e chegar à meia-noite depois da faculdade acaba com as minhas forças".

Você não está sozinho, caro leitor. Neste momento, há centenas, milhares, até milhões de pessoas como você. O mal do mundo moderno é o excesso de informações, de atividades, de compromissos. A internet possibilitou mobilidade e acessibilidade a todos nós, trazendo muitas vantagens, assim como desvantagens. Se não aprendermos a filtrar todas essas informações, realmente não daremos conta. É impossível aceitar fazer tudo o que parece interessante e ter uma vida sã e organizada. Ter foco é tudo. Precisamos parar de brigar com o relógio e de tomar decisões que afetarão não só nossa vida, como a de todos os que convivem conosco. Não apenas nós sofremos, mas nosso companheiro ou nossa companheira, nossos filhos, pais, colegas de trabalho. A frase "vamos combinar qualquer dia" se tornou um motivo de piada tão grande que virou *meme* de internet, pois sabemos que, depois de encontrar aquele amigo na rua, a chance de conseguirmos agendar algo com ele é extremamente rara. E se nos encontramos de novo ocasionalmente, a desculpa é sempre a mesma: "Estou na correria, mas vamos marcar!". E assim nossa vida vai passando sem que percebamos, apenas esperando por um momento em que alguém agende essa mudança. Acorde: você é a única pessoa que pode fazer isso.

Eu sei que é difícil, porque se trata de uma mudança significativa. Não dá para parar tudo o que está fazendo agora e dizer: "Pronto, amanhã sou um novo homem (ou uma nova mulher)! Vou acordar no horário que quiser, correr

Por onde começar quando tudo está um caos?

5 quilômetros e só depois ir para o trabalho!" – se você tem uma reunião às 8 horas da manhã do outro lado da cidade e nunca consegue se levantar antes das 6 horas.

Fomos criados por gerações que passaram por dificuldades financeiras e que viam no único emprego estável da família sua fonte de segurança. Nossas avós e mães, em muitos casos, não trabalharam fora. Mesmo com dificuldades financeiras, a mãe ficava em casa cuidando dos filhos enquanto o pai buscava o sustento como empregado de alguma empresa ou indústria. Atualmente, é comum que a mãe trabalhe fora e ainda exerça mais de uma atividade, assim como o pai. Não está fácil para ninguém! Não se trata apenas de sustento, mas de satisfação pessoal. Queremos um trabalho que nos realize profissionalmente, e isso pode significar investir muitas horas do nosso tempo, que antes eram livres, em cursos, eventos e outras atividades. Empreender nunca foi tão acessível, talvez porque a classe média tenha descoberto que passar quatro horas se deslocando de carro no trânsito para se trancar mais nove horas por dia em um escritório não compensa, seja pelo salário que for. O ouro está ficando velho, e os empregos nunca mais serão os mesmos. As pessoas não querem só dinheiro. Salário não é suficiente. Querem qualidade de vida e tempo para fazer outras coisas com diferentes valores.

Estamos descobrindo novas alternativas, investindo em *startups* e blogs na internet. Há um mundo cheio de possibilidades profissionais, e mesmo quem vende balas no semáforo pode ganhar mais dinheiro no fim do mês do que um engravatado que atravessa a cidade para trabalhar doze horas por dia. São tantas as alternativas disponíveis para nossa vida que não podemos perder tempo apenas sobrevivendo. Se não é possível mudar de emprego ou de área profissional, acabamos conciliando um trabalho pesado com outras atividades, mas o dia continua com apenas 24 horas. Além de trabalhar, também queremos namorar, sair com os amigos, ir ao cinema, ficar de bobeira lendo uma revista; mas não dá. Ou dormimos menos ou nos comprometemos com menos atividades, e o nível de estresse da sociedade atual denuncia a escolha coletiva.

Está cada vez mais claro que, para fazer uma atividade, precisamos deixar de fazer outra (ou outras). Ser multitarefa tornou-se um mito (ainda bem!). A pessoa que faz muitas coisas ao mesmo tempo não consegue fazer nenhuma delas direito. Você pode até acreditar que consegue escrever um documento enquanto vê um filme com seus filhos e responde a um e-mail, mas demorará o triplo do tempo para fazer tudo, sem falar na qualidade perdida por não estar focado em uma única atividade. Deixando de lado essa ideia de ser ou não alguém multitarefa, o que quero mostrar aqui é como você pode dispensar aquilo que é desnecessário em sua vida, centrando-se no que realmente importa. Para fazer tudo, é preciso escolher a ordem das coisas. Como, porém, fazer isso?

A hora de tomar uma decisão

Embora a vida moderna apresente diversos problemas, vivemos uma época feliz que oferece muitos caminhos. Uma pessoa comum pode abrir um negócio com investimento mínimo e vendê-lo por milhões ou fazer disso uma de suas várias atividades remuneradas. O céu é de fato o limite, mas precisamos ter em mente que nem todas as oportunidades são irrecusáveis.

Normalmente, nossa agenda é lotada de compromissos para o ano inteiro e, muitas vezes, marcamos reuniões de trabalho para depois daquele horário que chamamos de "útil". Saímos do trabalho às 18 horas e corremos para um

Por onde começar quando tudo está um caos?

jantar às 20 horas, com metade do tempo perdido no trânsito, chegando em casa quase às 23 horas. E, então, como encontramos tempo para cuidar da casa, cozinhar, passear com o cachorro, namorar o marido ou a esposa? A resposta está em aprendermos a dizer não quando necessário, e isso não vale somente para tarefas pequenas que surgem diariamente, mas para oportunidades diversas que não têm a ver conosco e que, em outro momento, aceitaríamos nem que fosse para afastar o tédio de não ter o que fazer. Hoje, até o tédio precisa ser agendado para acontecer. Aliás, se você é uma pessoa muito estressada, recomendo fortemente que agende para os próximos dias um período de duas horas para fazer absolutamente nada. Depois, pode me agradecer.

A solução parece fácil, mas o grande problema, claro, é decidir. Como escolher o que devemos e o que não devemos fazer? Como aceitar ou recusar uma proposta aparentemente irresistível se não tivermos parâmetros bem definidos? E mais: quais são esses parâmetros? Como chegaremos até eles?

Para isso, não há outro caminho a não ser conhecer quem somos de verdade e saber aonde queremos chegar. Não precisa imaginar sua vida daqui a dez, trinta ou cinquenta anos, porque esse exercício, apesar de delicioso, acaba nos distanciando da realidade. É claro que você pode fazê-lo. Eu mesma adoro pensar na casa que terei no alto de uma montanha em Campos do Jordão quando estiver mais velha. Eu me imagino em minha cafeteria com livros usados, onde todas as pessoas poderão relaxar e amar os livros, como eu. Não tenho ideia de quando isso acontecerá, mas gosto desses sonhos, e não há problema nenhum em pensar neles de vez em quando.

Entretanto, o que estou propondo aqui é que você pense em decisões imediatas, que vão mudar sua vida neste exato momento, trazendo mais tranquilidade e foco para aquilo que você deseja individualmente e para sua família nos próximos meses ou em pequenos períodos de tempo, como um ou dois anos. Esses objetivos de curto prazo acabam condizendo com o que você espera conquistar lá na frente, mesmo que (e certamente acontecerá) você mude de ideia depois. Porque a vida é realmente uma caixinha de surpresas! A cada dia podem aparecer novas oportunidades, que dependem de relacionamentos, habilidades desenvolvidas e até de sorte. Tudo isso pode mudar amanhã, e não tem problema. A grande questão é que, se você não tiver seus parâmetros pessoais, atirar para todos os lados vai deixar você, assim como todos ao seu redor, malucos.

Portanto, para começar a se organizar, você precisa mergulhar na experiência de refletir sobre quem é realmente. Lembra-se de quando era criança e perguntavam o que você gostava de fazer e o que gostaria de ser quando crescesse? Pois é, eis um exercício que não deve ser esquecido. Então, que tal relembrar?

Como você descreve a si mesmo?

Por onde começar quando tudo está um caos? 41

Preencha o quadro abaixo.

As 5 coisas de que mais gosto	As 5 coisas que mais detesto
1	1
2	2
3	3
4	4
5	5

Como você define o seu trabalho? O que você faz? Quais são as suas habilidades profissionais? O que você faz de melhor?

Essas informações estão muitas vezes tão interiorizadas que nos esquecemos de como são importantes. Vamos continuar.

Agora, trataremos do próprio conceito de organização. Será que existe um jeito certo de se organizar?

Em resumo, não. Chego a ter um tique nervoso quando vejo livros sobre organização e aquelas mesmas imagens no Pinterest: um armário branco, quase provençal, forrado com papel de presente em tom pastel, louças brancas e coloridas lindamente arrumadas, dispostas lado a lado, com bandeirinhas de festa junina por cima da prateleira de canecas. Todas essas fotos parecem uma só, ou pelo menos aparentam fazer parte da mesma casa! Abaixo os tons pastel e as etiquetas! Nada contra, mas esse padrão precisa cair por terra! Você pode encontrar sua organização até mesmo – acredite – naquela sua mesa cheia de papéis do escritório, que, se alguém mexer, você perde tudo. Se você costuma dizer que você "se encontra na sua bagunça", é porque você tem algum método mínimo de organização que, de alguma maneira, funciona para você. Pode não ser estruturado e talvez você nem se dê conta, mas existe um parâmetro ali.

A funcionalidade

Cada um deve encontrar a maneira mais funcional de organização. O parâmetro que uso para orientar essa descoberta é o da **funcionalidade**. Se o controle remoto da televisão fica em cima do *rack* e ninguém jamais o coloca no organizador de controles que está na mesa ao lado do sofá, eu vou colocar o organizador de controles no *rack*, evitando que o bendito seja ignorado e vire tralha. Não estou em busca do perfeito, nem do mais bonito, mas daquilo que é prático e funciona para mim e para minha família. Claro que, se

Por onde começar quando tudo está um caos?

for bonito, melhor. Pelo menos na minha casa, quero viver em um ambiente que agrade e me faça sorrir. Você pode ter outra visão a respeito. Tudo bem. É disso que estamos falando: não há regras. Há personalidades e, para cada uma, modos de se organizar. E é por isso que, em espaços coletivos, é mais difícil encontrar um modelo que sirva para todos. Afinal, cada um tem suas manias, seus métodos, e é necessário entrar em um acordo para evitar brigas. Além disso, vale relembrar: uma vida não se torna organizada da noite para o dia. Não adianta tirar toda a tralha de sua casa hoje, organizá-la amanhã e, depois de uma semana, achar que a arrumação vai se manter sozinha. Vale muito mais a pena organizar aos poucos, dia a dia, e ir se acostumando aos novos hábitos do que forçar uma situação que não corresponde ao que você é hoje. O mesmo vale para as pessoas com quem convive. Você pode estar se organizando, lendo a respeito e aprendendo, mas o processo está em outro ritmo para eles.

Isso também acontece com relação a projetos e tarefas. De que adianta iniciar hoje um método de organização revolucionário se amanhã você deixará de anotar informações importantes para inserir no seu gerenciador de tarefas? Qualquer dia, o sistema deixa de ser confiável.

Não é possível organizar a casa inteira em quinze minutos, mas você pode organizar uma gaveta; amanhã, uma caixa; e depois, suas fotos.

Sua vida não ficou bagunçada da noite para o dia, assim como não ficará organizada nesse tempo. Conforme já observei, organização é um hábito, e hábitos são desenvolvidos. Não espere milagres nem perfeccionismo, mas faça o melhor que puder. A perfeição é a inimiga número um da organização. Se você pensa que com este livro aprenderá a ser obcecado por organização, comprou o livro errado (desculpe-me). No entanto, se você deseja ter uma vida tranquila, com paz de espírito, com a sensação de que tudo está da maneira como deveria estar, você tem o livro certo nas mãos. Continue lendo!

Para iniciar a orientação, apresento algumas "regras" de organização que aplico em minha vida e que também podem ser úteis para você – utilizo aspas porque considero-as mais hábitos que regras em si, mas acho que chamar de regras explicita melhor o que quero dizer. São elas:

1 Só compro se tiver lugar para guardar. Se você já comprou alguma coisa por impulso, chegou em casa e não encontrou utilidade para a nova aquisição, guardando-a literalmente "onde deu", certamente entende a importância desse primeiro ponto.

2 Só compro se estiver realmente precisando. Como essa é difícil de seguir! Resistir aos novos modelos de celular e aos inúmeros acessórios não é fácil. Se, porém, você descobrir a técnica para conseguir o autocontrole, perceberá uma grande economia de dinheiro e de espaço.

3 Anoto tudo o que for necessário em um caderno que carrego sempre comigo (não se esqueça da caneta!), uma vez que nunca sabemos quando será necessário anotar algo importante, um telefone, um endereço, a placa do carro que bateu no nosso, uma ideia ou um lembrete.

4 Faço a "dança dos cômodos" diariamente. Significa fazer o seguinte: toda vez que eu sair de um cômodo, levarei comigo algo que pertença a outro. Por exemplo: se saio da sala e

Por onde começar quando tudo está um caos?

tinha bebido uma xícara de chá sentada ao sofá, deixando a xícara na mesa de centro, aproveito que estou deixando o cômodo e levo-a para a cozinha. Se toda vez que eu sair de um cômodo fizer isso, aos poucos os objetos estarão todos em seus lugares certos, facilitando a arrumação.

5 Trabalho em equipe dentro de casa. Todos os moradores devem colaborar. É claro que a distribuição de tarefas deve ser equilibrada, mas o importante é que o conceito da dona de casa que faz tudo enquanto os outros estão vendo televisão está completamente ultrapassado.

6 Digitalizo tudo o que for possível para diminuir a quantidade de papel. Todos os dias, recebemos uma imensa quantidade de papel: contas, recibos, boletos, pautas, folhetos, recados da escolha dos filhos etc. Diariamente, obrigo-me a digitalizar o máximo de documentos importantes e arquivá-los. Com esse hábito, consegui diminuir a quantidade de papel em 90%.

7 Doações de roupas, brinquedos e itens diversos a cada seis meses. É importante trabalhar o desapego. Aquelas roupas que você não usa há anos, que tem por "estimação", só servem para fazer volume no armário. Para quem está começando, sugiro separar itens para doação a cada quatro meses. Com o tempo, você perceberá que as compras ficarão mais objetivas.

8 Não compro presentes em datas comerciais. Calma! Isso não significa que você deixará de presentear entes queridos no Natal, mas as compras deverão ser feitas antecipadamente. Além disso, recomendo pensar em presentes alternativos, pesquisar bem o comércio local... Você pode encontrar presentes incríveis, mais baratos e sustentáveis!

9 Compras de mercado semanais. **Para mim, essa é a melhor maneira de fazer compras, pois consigo selecionar melhor os alimentos (principalmente os que estragam mais depressa, como frutas e verduras), calcular o tamanho da compra para evitar desperdício e, o melhor, só preciso ir ao mercado uma vez por semana.**

10 Agenda sincronizada para cada membro da família. **Utilizo o Google Calendar, que permite de maneira simples que todos saibam de seus compromissos individuais ou que envolvam a presença da família inteira. No capítulo 5, falarei mais sobre como organizar a agenda.**

11 Se perdeu a validade, deve ir para o lixo. **Você vai se surpreender com a quantidade de produtos vencidos que tem guardado – alimentos, cosméticos, medicamentos.**

12 Se não usamos, doamos, presenteamos, vendemos, reciclamos ou jogamos no lixo. **Entendo que, se temos muito, somos abençoados pela abundância e devemos ajudar quem precisa. Como saber se está na hora de se livrar das coisas? Estabeleci o prazo de um ano na minha casa: se em um ano o objeto não foi utilizado, é hora de encontrar outro destino para ele. Claro que, no seu caso, o prazo pode ser diferente, afinal não há regras.**

13 Miudezas devem ficar guardadas em um mesmo lugar. **Aqui faz sentido usar caixas, cestos e potes para organizar. Se tenho um monte de acessórios pequenos para cabelos, não vou deixá-los espalhados por aí – vou agrupá-los e guardá-los em um mesmo recipiente. O mesmo vale para pregos, brinquedos e canetas, por exemplo.**

14 Destralho todos os dias. **Significa que, diariamente, pego uma sacolinha e passo pela casa inteira recolhendo papéis,**

Por onde começar quando tudo está um caos? 47

embalagens vazias e outras sujeirinhas que encontrar pelo caminho. Acredite ou não, todos os dias encho uma sacola, o que nunca deixou de me surpreender.

15 Consumo com mais consciência. Não se trata apenas de comprar menos, como já citado anteriormente, mas de gerar menos lixo com embalagens ou comprar brinquedos que não gastem pilhas. Todos os dias, podemos tomar decisões que impactem menos o meio ambiente e criar em casa essa filosofia da consciência que, para mim, é algo importantíssimo.

16 Utilizo um método de organização pessoal, o GTD. Criado por David Allen, esse método norteará diversas dicas que serão passadas ao longo do livro. GTD é a sigla para *Getting Things Done* ("fazendo as coisas acontecerem", em tradução livre para o português). Para entender o método, recomendo a leitura do livro *A arte de fazer acontecer* (Campus, 2005), do mesmo autor.

17 Nunca perco meus princípios, valores e objetivos de vista. Isso é importante para, basicamente, não nos perdermos como baratas tontas que trabalham inutilmente no dia a dia. Quando nossas atividades têm propósitos, somos motivados a concluí-las.

18 Se estou cansada, descanso. Se estou com energia, trabalho. Isso é praticamente um preceito budista que diz respeito à concentração. E é uma maneira de nos mantermos atentos para não desperdiçar horas preciosas de sono trabalhando ou assistindo filmes até tarde quando estamos cansados.

19 Trato compromissos pessoais como compromissos de trabalho. Essa regra se tornou necessária com o passar dos anos. Para mim, ir ao parque com o meu filho se tornou um compromisso a ser respeitado como se fosse uma reunião com um diretor executivo. Não sei você, mas se eu deixar para ficar com minha família quando "sobrar tempo", nunca passaremos momentos juntos.

20 Respeito a ordem das coisas. Em geral, fazemos um planejamento do nosso dia e, de repente, outras coisas entram e bagunçam toda a nossa programação. Por isso, é importante ser crítico e pensar em suas prioridades naquele momento, sendo flexível para se adaptar às situações.

Acredito que essas sejam minhas regras básicas para ser uma pessoa organizada. Espero que sirvam como uma primeira referência e inspiração.

Há um segredo para as pessoas serem organizadas?

Sim, e eu vou dizer qual é: elas são rígidas com suas prioridades. Simples assim? Pois é.

Ser rígido com prioridades significa conhecer os seus limites acima de tudo. Significa dizer não para alguma atividade que atrapalhe sua rotina. Ou mesmo dizer não a tantas outras coisas, como a um chocolate quando você está de dieta (exemplo pífio, eu sei, mas bem explicativo). Quando temos prioridades, aprendemos a delegar e a não assumir compromissos que não conseguiremos cumprir.

Você pode simplificar tudo? Claro que pode. Pode optar, hoje, por se desfazer de tantas coisas! Pare e olhe ao seu redor. O que é essencial no momento? Manter o emprego para sustentar a família. Então ele fica. Entretanto, precisa fazer hora extra? Não, não precisa. Ou sim, nesse momento precisa. Avalie.

Por onde começar quando tudo está um caos?

Em casa, você precisa ter televisão por assinatura? Quem usa? Por quê? O custo compensa o uso? Quantos passeios diferentes você poderia fazer em um mês com o dinheiro investido?

Você tem um hobby no qual nunca consegue investir porque não tem tempo. O que você faz das 20 às 23 horas, quando está em casa? Vê televisão? Desmorona, cansado, no sofá? Fica navegando pelas redes sociais? Trabalha mais que nas oito horas de expediente?

A casa está uma bagunça. Não superestime os cuidados com ela. Em quinze minutos, você consegue guardar o que está fora do lugar, se fizer isso diariamente.

Há uma porção de outras tarefas que você não precisa fazer a não ser que seja necessário, então, por que você insiste em fazê-las?

Vamos fazer um exercício:

1. Quais são as prioridades na sua vida hoje? (Por exemplo: os filhos, seu cônjuge, sua carreira, você mesmo, sua casa etc.)

---

2. Como está sua alimentação? De que maneira você cuida da saúde?

_____
_____
_____
_____
_____
_____
_____

3. Quais as atividades extras que você assumiu? (Academia, cursos etc.)

_____
_____
_____
_____
_____
_____
_____
_____

Por onde começar quando tudo está um caos?

4. Como você organiza seu tempo destinado ao lazer?

Reflita sobre todas as atividades e defina aquelas que realmente são prioridade, as que precisam ser equilibradas na sua rotina e as que estão simplesmente tomando seu tempo sem necessidade.

Agora separe as atividades prioritárias. Escreva-as no quadro a seguir e, depois, ordene-as na segunda coluna, assim como a frequência com que devem ser executadas. Desse modo, você perceberá coisas como: no trabalho, ler e-mails é uma prioridade, mas será que você precisa fazer isso duzentas vezes em um mesmo dia? Checar as mensagens três vezes ao dia não seria suficiente? Em casa, você precisa varrer o chão diariamente ou isso é só um hábito? Não estou dizendo para você deixar de fazer coisas necessárias, pois cada um tem as suas necessidades. Quero dizer que é essencial priorizar o que é realmente importante. De repente, você percebe que não precisa limpar o forno toda semana, mas uma vez a cada quinze dias. Quanto tempo você poderá ganhar com isso?

Lista de prioridades	Ordem e frequência com que devem ser realizadas

Mais adiante, nós aprofundaremos nesse exercício, mas dei essa prévia para você começar a refletir sobre como está a distribuição de suas atividades no momento.

É impossível se organizar se você não tem a menor noção de suas prioridades. Então procure ter essa noção e, a

Por onde começar quando tudo está um caos?

partir de hoje, filtre tudo o que aparecer na sua vida, sem medo do que vão pensar de você. Esqueça todos os preconceitos que você aprendeu, segundo os quais, para se tornar uma pessoa organizada, você precisa ser alguém perfeito e dar conta de tudo, absolutamente TUDO. Isso é ilusão. Ser organizado é fazer o suficiente para manter tudo sob controle – o que não é uma tarefa fácil. Pare de encher seus dias com atividades que não o levam a lugar nenhum. Pare de aceitar tarefas e compromissos que apenas tomarão tempo, dinheiro e disposição. Mantenha o que for importante. Temos janelas abertas para todos os lados. Podemos escolher fazer um curso X e viajar para um lugar Y, mas isso não significa que precisamos fazer tudo isso agora ao mesmo tempo! Tenha em mente um ideal de vida mais tranquilo, transformando sua rotina em algo saudável e equilibrado, que lhe permita refletir com calma sobre o que fazer ou não. Planeje mais, pense em curto, médio e longo prazo.

Definir suas prioridades é o que, na prática, permitirá que você assuma um novo compromisso ou não. Por exemplo: apareceu a oportunidade de fazer aquele curso que você sempre quis no único dia em que você pode descansar. O que é prioridade no momento? Sua formação profissional, seu hobby ou seu descanso? Se for seu descanso, porque já há outras iniciativas distribuídas ao longo da semana, não resta dúvida. Se for sua formação profissional ou um hobby que o faz feliz e que você sempre deixou de lado por falta de tempo, não resta dúvida. Entende? É desse "não resta dúvida" que estamos falando. Quando você define suas prioridades, nunca resta dúvida na hora de decidir.

Contudo, não basta apenas definir: é preciso obedecer. Isso não foi uma ordem imposta, mas uma decisão refletida previamente e tomada por você. Tudo o que você precisa fazer, no momento necessário, é resgatar essa decisão na sua memória e responder aos acontecimentos. Não precisa perder tempo tentando decidir somente quando aparecer a oportunidade e ainda correr o risco de tomar a decisão errada!

Se existe um segredo compartilhado entre as pessoas organizadas é este: conhecer as prioridades e ser rígidas com elas. Dessa maneira, você consegue descartar tudo o que poderia atrapalhar sua vida ou acontecer na hora errada.

Para começar, é preciso planejar

Planejar é identificar eventos futuros e trazê-los para o presente, de modo que seja possível fazer alguma coisa a respeito deles.

Você já parou para pensar no que gostaria de fazer nos próximos dez anos? Onde gostaria de morar? Como estaria sua carreira?

É claro que a vida é imprevisível, mas deixar tudo "por conta do acaso" pode não ser tão interessante assim, especialmente se você ficar arrependido por não ter feito aquilo que gostaria. Por exemplo: se você quer ser médico, precisa fazer faculdade de Medicina. Isso leva no mínimo seis anos. Pode parecer um exemplo óbvio, porém ilustra exatamente o que estamos tentando dizer: para tudo o que queremos fazer, deve existir um planejamento.

Colocar no papel nossos objetivos de vida ajuda a torná-los mais palpáveis e, assim, nos esforçamos diariamente para que eles se tornem reais. Pode ser conhecer o mundo, seguir a carreira dos sonhos, ter filhos, comprar a casa própria...

Caso ainda não tenha uma lista, faça-a.

Por onde começar quando tudo está um caos?

Acha difícil? Comece assim: como seria sua vida hoje se você tivesse 100 milhões de reais no banco? O que você estaria fazendo? Como seria sua rotina?

_____
_____
_____
_____
_____
_____

Agora que você já exercitou a imaginação, comece a pensar em objetivos mais concretos. Analise sua vida atualmente, seus desejos e suas vontades, e pense em dez objetivos que gostaria de concluir até os 100 anos:

Ex.: Conhecer todos os estados brasileiros.

1. _____
2. _____
3. _____
4. _____
5. _____
6. _____
7. _____
8. _____

9. ....

10. ....

Os objetivos acima são de longo prazo, mas você pode trabalhar em cada um deles a partir de hoje. Com base nessa lista, pense em objetivos menores, de médio prazo, associados aos listados anteriormente, para fazer daqui a aproximadamente cinco anos:

Ex.: Planejar uma viagem pela costa do Brasil nas férias de fim de ano.

1. ....

2. ....

3. ....

4. ....

5. ....

6. ....

7. ....

8. ....

9. ....

10. ....

Colocar seus objetivos no papel significa que você está trabalhando para transformá-los em metas reais. Tendo-os em foco, fica muito mais fácil realizá-los, pois você não fugirá deles. Tenha em mente que este é apenas um exercício! A ideia é que você exercite seu raciocínio e tire da cabeça sonhos que

Por onde começar quando tudo está um caos?

não ousaria exteriorizar de outra maneira. É apenas um pequeno passo, mas que pode impulsionar grandes realizações.

Por fim, pense nos dez objetivos de médio prazo do exercício anterior e defina, com base em cada um deles, um objetivo ainda menor, que pode ser alcançado nos próximos meses ou no máximo em dois anos:

Ex.: Definir o roteiro para a viagem pela costa: paradas, possíveis pousadas para ficar e previsão de valores para realizar a viagem.

1.
2.
3.
4.
5.
6.
7.
8.
9.
10.

Interessante como eles parecem mais próximos, não é mesmo?

Agora compare a lista anterior com a sua vida no momento. Algum desses projetos de curto prazo está em foco? Por exemplo: se você quer se tornar gerente na empresa onde trabalha, você está na área certa para isso? O que tem feito? O que é necessário para chegar lá?

Os objetivos de curto prazo definirão seus projetos atuais. É exatamente neste ponto que a coisa toda começa a tomar forma de verdade e começamos a perceber como ser organizado é bom e nos traz realização pessoal. O objetivo que quero ter alcançado quando estiver com 100 anos não está tão distante porque em cinco anos quero ter chegado em tal lugar, que só será possível se, em no máximo dois anos, eu alcançar um objetivo mais simples. O intuito é desmembrar cada vez mais, de modo que o seu objetivo lá na frente comece com uma pequena tarefa que você pode fazer hoje ou amanhã.

Para realizar sonhos, você precisa planejá-los e, assim, você os transformará em objetivos, que são reais, palpáveis, atingíveis. Isso, porém, só é possível por meio da organização.

Você pode fazer esse exercício dos objetivos sempre que quiser, sem pressão. A ideia é justamente verificar se sua vida está caminhando como gostaria e se você tem feito o seu melhor para chegar lá.

Procure manter seus objetivos de vida em um local visível, para sempre tê-los em mente, focar suas atividades e não desanimar. Alguns ótimos lugares são: acima de sua mesa no escritório, na porta do seu guarda-roupa ou, para os amantes da tecnologia, em bons aplicativos. Encontre um lugar em que ela não atrapalhe suas atividades, mas mantenha sua listinha sempre à vista.

Esse foi um pequeno exercício para você entrar no clima. Fazer acontecer vai muito além de planejar. A partir de agora, vamos colocar a mão na massa e aprender a nos manter centrados no que realmente importa.

Você gostou de pensar em sonhos e objetivos? Então vai gostar do que vem a seguir.

Capítulo 2

Como alcançar nossos objetivos?

Nossa vida é uma só. Nós também. Isso não significa, no entanto, que agimos de uma única maneira ou que desempenhemos apenas uma atividade. Todos somos múltiplos – trabalhamos, temos família, amigos, hobbies. Exercemos diversos papéis ao longo da vida, mas é importante refletir sobre aqueles que exercemos no momento. Talvez você se pergunte por que isso é importante, questionando também que relação pode ser estabelecida com a organização. Respondo: porque só assim podemos dar atenção a todos eles. Pensar a respeito desses papéis também nos ajuda a perceber aonde queremos chegar e o que precisamos fazer para atingir esses objetivos.

Não pense no passado nem no futuro que você gostaria de ter – foque o presente. Ao fazer minha lista, eu poderia ter colocado "música", porque durante a vida inteira fiz parte de uma banda. Hoje, porém, essa não é uma atividade que eu esteja desempenhando, pois não é uma prioridade. Não tenho nenhum projeto de vida em andamento com relação a esse papel. Logo, eu não o incluí, apesar de ele existir. Faça o mesmo. Reflita sobre todos os projetos em andamento e liste os papéis que você desempenha.

Exemplos de papéis: empregado, pai, diretor, filho, esportista, indivíduo, esposo, amigo etc.

Como alcançar nossos objetivos? 63

Agora, vamos construir um mapa mental. No centro do espaço abaixo, escreva seu nome ou faça um desenho que o represente. Ao redor, escreva cada área de foco em sua vida (trabalho, família, saúde, estudos etc.). Quando terminar, ligue cada uma dessas palavras ao centro (você).

Agora você tem uma visão geral da sua vida no momento. Será que está priorizando mais uma área do que outra? O que você pode fazer para mudar isso? O objetivo aqui, ao desenhar esse mapa mental, foi proporcionar a você uma visão de todas as suas áreas de foco e uma reflexão sobre como você tem investido o seu tempo.

Estabeleça alguns objetivos que deseja alcançar em cada uma das áreas de foco.

No papel "família", pode ser inserido o desejo de passar mais tempo com seus filhos, organizar um jantar no próximo Natal ou sair para jantar fora mais vezes com a sua esposa ou seu esposo.

No papel "trabalho", você pode escrever que gostaria de ingressar em um mestrado ou fazer um curso no exterior. Aprender um novo idioma, talvez? Você é quem sabe. Vá listando.

O que faço	O que preciso começar a fazer

Todos nós exercemos diversos papéis. A ideia aqui é pensar sobre eles, justamente para ter uma dimensão de quem somos e de como estamos atuando, investindo nosso tempo. É muito difícil ter essa consciência com a vida agitada que levamos.

É importante fazer esse exercício sempre que sentir que as coisas estão confusas ou quando tiver a sensação de que não sabe o que fazer da vida. Costumo fazer a cada quatro ou seis meses, para revisar e verificar se estou investindo meu tempo de maneira coerente para alcançar meus objetivos sem deixar de ser atenciosa com as pessoas que amo e que são importantes para mim.

Essa reflexão pode, e deve, ser feita constantemente – em geral, quando você achar que está desempenhando um novo papel ou deixando um algum de lado.

Perceba como sua consciência a respeito da vida aumenta quando você lista seus papéis. É como se a noção da responsabilidade que temos caísse sobre nós e, assim, conseguimos visualizar como somos importantes em cada área que faz parte de nossa vida.

Prioridades de longo, médio e curto prazo

Com os papéis em mente, é hora de definir as prioridades de um jeito mais palpável. Vou explicar como fazer isso e depois é com você!

Para cada papel que desempenha, você deve escrever seus objetivos de longo prazo. Lembra-se do exercício que fizemos no capítulo anterior? Será a mesma coisa, mas com temas! Em vez de definir objetivos gerais, você vai pensar no que deseja para cada área específica. Não se preocupe com a quantidade de objetivos. Pode ser que, em uma das áreas, você tenha cinco objetivos de longo prazo, enquanto em outra tenha apenas um. Isso, porém, também serve para reflexão – afinal, por que queremos mais de uma área que de outra? Será que nosso foco está coerente com nossos sentimentos e desejos?

Os objetivos de longo prazo são basicamente os objetivos de vida. Pense não só daqui a dez anos, mas trinta, quarenta anos. Lá na frente. Quando você morrer, o que gostaria de ter realizado? "Ah, eu gostaria de ter estabilidade financeira." "Eu gostaria de dizer que fui o melhor pai possível." "Quero ser lembrado como um amigo presente." Os objetivos de longo prazo revelam nossas intenções e nossa missão de vida. O legal de pensar a respeito é que eles dizem muito sobre o nosso caráter.

Por mais que possamos alterar esses objetivos com o passar dos anos, é interessante notar como a maioria deles acaba não mudando. No fundo, sabemos quais são nossos valores, mesmo que não estejam claros, e eles determinam a pessoa que gostaríamos de ser.

Depois de listar os objetivos de longo prazo para cada área da vida, partiremos para os objetivos de médio prazo. Assim, tente trazer para mais perto seus objetivos de longo prazo. Por exemplo, se você deseja ter estabilidade financeira, o que pretende fazer no médio prazo (daqui a uns cinco anos) para alcançar esse objetivo? Comprar um apartamento, passar em um concurso público, ter uma poupança com X reais no banco, abrir um negócio. Você pode relacionar um ou mais objetivos de médio prazo a cada objetivo de longo prazo. Até recomendo que você liste mais de um. Deixe sua imaginação fluir. Não se apegue a conceitos como: "Hoje não tenho dinheiro, então, será impossível fazer determinada atividade". Não queremos definir "como", mas "o quê".

Objetivos de médio prazo são aqueles que podem ser previstos para daqui a cinco anos. Em geral se trata de objetivos que estão em nossa mente, mas para os quais não temos disponibilidade no momento – ou seja, não definem nosso foco atual. Alguns objetivos de médio prazo mais comuns são: ter um filho, começar um mestrado, aprender um novo idioma, mudar de casa, viajar para o exterior etc.

O interessante aqui é justamente o desafio de tentar associar cada objetivo de médio prazo com um objetivo de longo prazo. Por exemplo, se você tem como objetivo de longo prazo "ter uma empresa e deixar um legado", um objetivo de médio prazo coerente seria "abrir um negócio", e não "passar em um concurso público". Esse, porém, é apenas um exemplo. Conheço uma pessoa que só pôde realizar o sonho de ter uma empresa depois de passar em um bom concurso que financiou seu sonho.

Você tem ciência de sua coerência. Use-a para refletir sobre o que está fazendo e para onde está indo. Muitas vezes, traçamos caminhos preestabelecidos sem pensar muito neles e, assim, nossa vida vai caminhando sem sentido e acabamos investindo em coisas bobas que nos fazem perder tempo. O exercício de associar os objetivos de médio e longo prazo é justamente uma maneira de pensar sobre a vida e mudar o percurso, se necessário. Assim, nós nos tornamos pessoas felizes, em vez de reclamar todos os dias do mesmo problema sem perspectiva. Os objetivos fornecem essa perspectiva e ajudam a atribuir sentido ao que estamos fazendo.

Quando você definir um objetivo de médio prazo, verifique se ele contribui com algum objetivo de longo prazo. Se isso não acontecer, você deve refletir sobre a situação. Ou o objetivo de médio prazo é algo que não vale a pena buscar ou falta algo importante nos seus objetivos de longo prazo. Essa é a maneira mais interessante de definir objetivos de vida, porque tantas vezes nos perdemos em coisas que julgamos querer, não é? Partindo dessas definições, fica muito mais fácil priorizar e dizer não, pois você terá tranquilidade para fazer isso. Você sabe que, se estiver se empenhando em um projeto, é porque ele tem significado. E se você não vê sentido na realização de algo, simplesmente não precisa fazê-lo. Sem culpa. Dos objetivos de longo prazo, você passa pelos de médio prazo e chega aos objetivos atuais. Se eles não têm a ver com o que você quer, não devem sequer entrar em sua vida. Quantas atividades você pode riscar hoje da sua agenda apenas com essa simples reflexão?

Finalmente, chegaremos aos objetivos de curto prazo.

Quando falo em objetivos de curto prazo, eu me refiro ao período de hoje até daqui a dois anos. Não gosto de fazer resoluções anuais porque muitos objetivos demandam mais de um ano. Considero dois anos um período legal, que nos permite uma margem maior. É possível tomar providências que demandem um pouquinho mais de tempo, mas que ainda assim estão sob nosso controle e planejamento.

Pense em tudo o que você gostaria de fazer entre este ano e o ano que vem. Trocar de carro? Aprender espanhol? Viajar para Buenos Aires?

Por fim, associe seus objetivos de curto prazo com seus objetivos de médio prazo. O raciocínio é o seguinte: se daqui a cinco anos quero fazer aquilo, hoje devo fazer isso para chegar até lá.

O divertido nesse processo é perceber que, de repente, você não consegue definir um objetivo de longo prazo para um papel que você desempenha atualmente. E aí você já sabe a resposta, não é? Será necessário, então, repensar se esse papel realmente precisa continuar a ser desempenhado. Veja que reflexão bacana podemos fazer apenas com uma caneta e um caderno na mão! Brincando com os objetivos, você pode perceber que está desperdiçando seu tempo em algo que não tem sentido nenhum e que não contribui com a pessoa que você gostaria de ser. Da mesma maneira, um emprego chato pode se mostrar um caminho para chegar aonde você gostaria de estar daqui a um tempo e, por isso, você tem um motivo para aguentar mais um pouco.

Você pode acabar questionando também seus objetivos de médio prazo. Se você tinha em mente comprar um apartamento daqui a quatro anos, pense em como isso colabora com seus objetivos de longo prazo. Caso não colabore com nenhum deles, avalie se é realmente importante. Se a resposta for positiva, talvez você deva refletir sobre um objetivo de longo prazo que se relacione com ele, como cuidar da família ou proporcionar segurança financeira para quando estiver mais velho.

Continuando com o exemplo do apartamento, você pode colocar como objetivo de curto prazo guardar Y reais por mês na poupança para conseguir ter Z reais daqui a dois anos. Ou pode optar pela pesquisa de apartamentos na planta. Enfim, as possibilidades são inúmeras e muito pessoais. É impossível que alguém defina esses objetivos por você.

Os objetivos de curto prazo se transformarão em projetos com os quais você vai começar a trabalhar a partir de agora.

Na sequência, você vai destrinchar cada um desses projetos de modo que se transformem em tarefas que você pode fazer já.

Por exemplo, se você precisa guardar 400 reais todo mês porque quer juntar 9.600 reais ao final de dois anos para dar entrada em um apartamento, você pode cortar gastos aqui e ali, transferir 100 reais para a poupança toda semana etc. Assim, seus objetivos lá da frente se transformam em tarefas que você pode fazer em intervalos menores do que o tempo limite para cumprir o plano. Podem ser tarefas quinzenais, semanais e até diárias. Não é emocionante?

A reflexão deve continuar com os projetos em andamento e as tarefas cotidianas. A ideia é realmente questionar a importância de todas elas. Entretanto, não se engane: infelizmente, precisamos executar muitas tarefas enfadonhas que podem parecer inúteis. Não é o caso de interrompê-las, pois muitas representam obrigações, mas pensar sobre cada uma delas é fundamental, pois podemos verificar se estamos investindo tempo somente naquilo que é importante, urgente ou circunstancial. Ter esse controle do tempo é o que dá a sensação de dever cumprido e vida coerente, pois podemos fazer ajustes aqui e ali. É comum perceber que passamos os dias deixando de lado o que é importante, e reconhecer que isso acontece é o primeiro passo para mudar o cenário.

Muitas pessoas não gostam de definir objetivos porque acreditam que isso torna a vida rígida. Para essas pessoas, digo o seguinte: os objetivos não estão escritos em pedra. A vida vai acontecendo, nós mudamos, e muitas circunstâncias podem nos levar a outros caminhos. Então, basta reformulá-los quando você decidir seguir rumos diferentes. Isso acontece, é normal e extremamente saudável. Há vinte anos, ninguém sabia que trabalharíamos com a internet como fazemos hoje, por exemplo. Contudo, considero de extrema importância pensar nessas definições justamente para não perder tempo e focar o que faz parte de nossa essência.

Eu mesma pensava assim até perceber que, em vários anos, os objetivos de longo prazo pouco se alteravam. Acho que isso acontece porque vamos amadurecendo e descobrindo o que queremos ou não. Os objetivos de longo prazo são o "o que", enquanto todos os outros são somente formas e caminhos que nos levam até lá. Obviamente, a maneira como isso será feito mudará ao longo dos anos, e essa é a coisa mais legal da vida, na minha opinião. Já pensou se tivéssemos tudo definido e programado? Qual seria a graça?

Eu sinceramente acredito que toda pessoa veio ao mundo para cumprir uma missão pessoal, seja qual for, da magnitude que for. Descobrir essa missão é o que nos torna humanos – é o que dá sentido para a vida, essa eterna busca. Isso está longe da rigidez e tem a ver com saber que a vida é uma só e que existe um mar de possibilidades, mas que apenas parte delas está ao nosso alcance. Além de tudo isso, existem os papéis que desempenhamos, as nossas responsabilidades. É preciso ser muito malabarista para dar conta de tudo, então, pensar sobre nossos papéis, objetivos e projetos é sempre um processo muito válido e de cuidado com o tempo.

Sei que num primeiro momento definir essas coisas parece difícil, mas com a prática isso se torna natural. Não se trata de um exercício para ser feito rapidamente e de qualquer jeito. Você vai ler e reler esta parte toda vez que precisar fazer essa reflexão, até que ela esteja clara. É justamente este o objetivo deste livro: servir de guia para uma vida organizada. No fundo, sabemos o que queremos ser, mas nem sempre conhecemos os passos para chegar lá. Se a lista que você escreveu for modificada, não se preocupe, pois ela deve ser avaliada de tempos em tempos, e você vai perceber que o essencial dificilmente é alterado. Não se preocupe com as mudanças, porque são a única constante na vida.

Por que os objetivos são tão importantes?

Muitas pessoas afirmam não gostar de estabelecer objetivos porque querem que a vida seja uma eterna surpresa.

Além disso, a ideia de ter tudo esquematizado até o dia de sua morte não lhes agrada. Cada um pensa de um jeito. No entanto, se você tem a sensação de que a vida está passando e que você não consegue aproveitá-la como deveria, acho que vale a pena fazer esse pequeno planejamento. E mais uma vez: ele não é definitivo. Faça-o a fim de refletir sobre sua vida e, se não quiser segui-lo à risca, deixe-o de lado ou use-o como norte de maneira informal.

O legal de ter objetivos é saber aonde você quer chegar, aproveitando, assim, melhor o seu tempo. É uma maneira de evitar que daqui a trinta anos você se arrependa de não ter começado a poupar dinheiro quando tinha 20 anos, ou de não ter feito a faculdade X, além de muitas outras iniciativas.

Ter objetivos proporciona uma vida coerente e tranquila. Você percebe que realiza uma tarefa hoje porque ela reflete em um objetivo de médio ou de longo prazo. Sua vida ganha significado e você não fica com aquela sensação de que está perdendo tempo, com a certeza de estar investindo em algo importante. Tiramos a ilusão da vida. Ficamos mais tranquilos.

Eu sigo à risca o que comentei acima: reviso semanalmente meus objetivos (faz parte da minha revisão semanal com o GTD), incluindo-os em minha rotina pessoal. Você pode revisá-los quando quiser, mas recomendo que isso seja feito pelo menos uma vez por mês. Os objetivos de curto prazo podem ser alterados se você achar que não estão condizendo com os outros, ou é possível excluir apenas alguns se, com o tempo, eles se tornarem irrelevantes. Nós crescemos e amadurecemos, e as mudanças são muito comuns. A revisão constante é importante justamente para que você possa parar e pensar: "OK, como a minha vida está caminhando? Estou alcançando meus objetivos?". A sensação de

Como alcançar nossos objetivos?

ter controle sobre isso, de poder fazer mudanças e alcançar metas, é indescritível – e você só poderá senti-la na prática.

Portanto, quando sugeri a análise dos objetivos de curto, médio e longo prazo, foi justamente para ajudar a resolver certas situações, que podem ser ilustradas com as seguintes frases:

> "Não sei o que fazer da minha vida!"
>
> "Trabalho o dia inteiro e chego exausto em casa. Nunca sei o que devo fazer primeiro."
>
> "Eu odeio o meu emprego."
>
> "Minha vida é muito corrida, e eu não consigo fazer nada."
>
> "Eu não sei por onde começar!"

Comece definindo seus objetivos, e o restante será esclarecido aos poucos.

Gosto muito de um livro de Martha Stewart – *The Martha Rules (As regras da Martha,* em tradução livre, RODALE, 2005), em que a autora discorre sobre a importância de encontrar algo que amamos e transformar isso no grande negócio de nossa vida. Acho o conceito excelente, mas, como budista, também acredito que o importante mesmo é amar o que estamos fazendo agora – o processo em si, e não apenas o produto final. Se estamos caminhando em busca daquilo que julgamos certo, é natural curtir o processo. E, mais do que isso, eu diria que é essencial amar a vida que temos hoje porque o caminho é tão importante quanto a chegada.

Em seu livro, Martha comenta sobre o que realmente dá trabalho ou não. Um dia, perguntaram se ela não ficava cansada de trabalhar no jardim – ou algo do tipo (não me recordo exatamente do diálogo). Por sua vez, ela respondeu que nunca *trabalha* no jardim, que essa atividade não é um trabalho para ela, mas um hobby. Então, a autora nos aconselha a encontrar um trabalho que nos inspire esse mesmo sentimento.

Particularmente, acredito que a vida seja muito curta para perdermos tempo com o que não amamos, e isso inclui pessoas, trabalho, projetos, tudo. Infelizmente, não dá para ser assim o tempo todo e precisamos enfrentar algumas coisinhas chatas na vida porque é desse modo que o mundo funciona. No entanto, também sou a favor do poder de mudança, que todos nós temos.

Se estou interessada em um assunto, pesquiso sobre ele até não querer mais. Se estou escrevendo, posso ficar cansada, mas nunca frustrada, pois é algo que amo fazer. Se estou passando por momentos difíceis, fica mais fácil resistir se souber que estou fazendo aquilo porque tenho um objetivo em mente.

Meu marido é músico, mas já teve empregos convencionais. Quando nosso filho nasceu, e eu quis voltar a trabalhar fora, trocamos a nossa dinâmica e ele passou a ficar em casa. Como vocês podem imaginar, recebemos muitas críticas por essa escolha. De família humilde, ele sempre trabalhou por necessidade e somente agora pôde oficializar o que realmente quer fazer da vida: cozinhar. Eu também gosto de cozinhar, mas sou um pouco desastrada e prefiro o trivial (como no guarda-roupa, tenho meus clássicos), mas ele simplesmente prepara pratos maravilhosos. Investir nesse dom só foi possível graças a todas as mudanças que fizemos em nossa vida. Da mesma maneira, se eu vejo sentido na limpeza que faço em casa, deixo de ver isso como trabalho, no sentido ruim da coisa. Quero ter uma casa limpa para que meu filho seja saudável. Quero ter uma cama

Como alcançar nossos objetivos?

limpinha e aconchegante para descansar todas as noites. Tudo tem um significado.

E então essa rotina diária de manutenção da casa se torna uma curtição enorme para mim. Buscar soluções cada vez melhores para organizar o que quer que seja é praticamente o meu grande hobby, assim como escrever. Uma vez, ouvi de um chefe: "Thais, acho engraçado como você gosta mais do processo de organização que das coisas organizadas". E é verdade! Para mim, a organização é quase uma ciência. Por gostar tanto do assunto, acabei criando um blog com dicas de organização e, agora, escrevo este livro. Não estou dizendo que isso se aplica a você, que tem o próprio caminho, porque somos pessoas diferentes. Estou citando esse fato apenas para mostrar como nossas paixões (e reações diante dos acontecimentos da vida) influem tanto nos sentimentos. Apenas quem já largou tudo sabe como é importante estar com a cabeça boa para lidar com as intempéries do dia a dia. Se não gostamos nem vemos sentido naquilo que estamos fazendo, abandonaremos tudo mesmo.

Você pode se desanimar muitas vezes quando tem coisas para organizar porque "dá trabalho". Talvez você não esteja precisando de motivação e força de vontade, mas de uma mudança de perspectiva. Pergunte-se por que você não consegue se organizar. Será que é porque sua casa tem muita tralha? Você acha que tem pouco espaço? Ora, precisamos do mínimo. Se há pessoas vivendo em um cubículo de 10 metros quadrados ou até menos, qualquer ser humano consegue – não estou dizendo que *deva*, mas é importante pensar da seguinte maneira: quando morremos, não levamos nada. Vale a pena ter a casa entulhada de coisas e levar uma vida cheia de frustrações? Vale a pena ter a agenda lotada e deixar de viver momentos felizes?

Se esse for o seu caso, destralhe a vida. Abrir espaço também abre um leque de possibilidades. Você passará a gostar mais dos seus dias porque manterá somente aquilo que realmente ama ou seja útil para algum objetivo lá na frente.

O mesmo vale para limpar a casa e fazer comida. Quais são suas motivações? Aqui em casa, cozinhamos por causa do nosso filho, que precisa comer direitinho todos os dias. Do mesmo modo, eu gosto de comer alimentos frescos diariamente. Então, não vejo essa tarefa como trabalho, mas penso que estou fazendo o melhor para mim e para a minha família. Quando vou limpar e desinfetar o vaso sanitário não é diferente: não encaro como trabalho ou obrigação, mas como uma tarefa normal que preciso fazer para manter minha família saudável.

Pensar em maneiras de transformar nossos sonhos em realidade pode ativar nossa força de vontade, embora seja engraçado falar sobre sonhos, uma vez que tão poucas pessoas conseguem alcançá-los. Todos nós temos sonhos, mas acabamos deixando-os de lado na maioria das vezes... Por que mesmo? Ah, sim, por causa da correria.

Então, gostaria de propor aqui que você transforme seus sonhos em objetivos. Isso significa basicamente torná-los possíveis e trazê-los para mais perto de você. No entanto, como fazer isso?

Você já listou seus objetivos de longo, médio e curto prazo. Vá além. Se não houvesse nenhum impedimento, o que você gostaria de fazer? Seja honesto consigo mesmo. Não escreva que gostaria de acabar com a maldade no mundo se tudo o que você deseja são 50 milhões de reais na conta.

Como alcançar nossos objetivos?

O que eu gostaria de fazer é...

No quadro abaixo, faça um mapa mental que contenha cada um dos seus sonhos e trace tudo o que você acha que seria necessário para alcançá-los. Como você poderia ter 50 milhões de reais? Ganhando na loteria? Abrindo uma empresa de sucesso? Criando e vendendo uma *startup*? Virando estrela de Hollywood?

Como alcançar nossos objetivos?

Agora, compare seus sonhos com seus objetivos de longo prazo. Quais são as semelhanças? E as diferenças? Você vê alguma relação com a resposta àquela pergunta lá do começo, quando você respondeu o que faria se tivesse 100 milhões de reais no banco? Por que, quando temos em mente que nada nos impede, voamos mais alto e pensamos em objetivos mais difíceis?

Infelizmente, temos a mania de achar que não conseguiremos alcançar objetivos maiores. Se você conseguiu, parabéns. A grande maioria das pessoas, porém, não faz isso e determina objetivos de vida mais simples, que podem ser alcançados apenas com um esforço contínuo e com o passar dos anos. Parece que sonho é uma coisa e objetivo, outra. Contudo, objetivos nada mais são do que sonhos organizados.

Agora, quero que você pense sobre a vida e o legado que deseja deixar. Todas as pessoas que realizaram grandes feitos começaram de algum lugar. Se você tem um sonho, liste os meios para chegar até lá. Esses meios, sim, devem ser seus objetivos de longo prazo. A partir deles, quais serão os objetivos de médio prazo? Partindo destes, quais são os de curto prazo, para fazer entre este e o ano que vem? E o que você pode fazer entre hoje e amanhã para dar o primeiro passo?

Pronto: você trouxe o seu sonho praticamente inalcançável para o presente. Como continuará realizando sem culpa atividades que não tenham a ver com ele?

Quem diria que dar um único passo hoje poderia contribuir para um objetivo de longo prazo que realizará seu sonho? É exatamente assim que se começa: dando um passo de cada vez, sem perder de vista o horizonte. O nome disso é foco.

Muita informação? Então, vou resumir o que nós vimos até aqui.

Checklist para começar a se organizar

1 Liste seus papéis e as áreas de foco.
2 Defina seus objetivos de longo, médio e curto prazo, de preferência relacionados uns aos outros.
3 Mantenha o foco naquilo que realmente deseja.

Capítulo 3

Pausa
para começar a
destralhar!

Agora que você já sabe o que quer (ou pelo menos começou a pensar nisso), é hora de se desfazer daquilo que não quer. Isso vale tanto para a tralha que você tem em casa quanto para as atividades que não têm absolutamente nada a ver com você. Depois das decisões, é hora de tomar atitudes.

Começar pela nossa casa é um pouco mais simples porque é um ato físico e simbólico. Não é possível organizar tralha. Então, se você não sabe por onde começar, pegue uma sacola de lixo e ande pela casa recolhendo tudo o que pode ser jogado fora. Faça isso hoje, um pouquinho amanhã, e por aí vai. Se todos os dias você fizer isso, muito em breve você terá menos tralha e será mais fácil dominar a situação. Tornando essa pequena limpeza um hábito diário, você precisará gastar cada vez menos tempo nessa atividade.

Não faça isso somente com o que for claramente lixo, como papéis avulsos e embalagens vazias, mas com suas roupas, acessórios, livros, cadernos, eletrodomésticos, utensílios de cozinha que nunca foram nem nunca serão utilizados. Com toda a certeza do mundo, há pessoas nesse momento precisando desses objetos que estão sem uso na sua casa. Não vale a pena ocupar o espaço sagrado do seu lar com energia parada. Abra espaço para o novo.

No geral, juntamos coisas por uma série de motivos: coleções, apego sentimental, receio de precisar no futuro, entre tantos outros. E, sinceramente, não sou radical a ponto de achar que não precisemos manter nenhuma tralha em casa, pois sei que temos nossos "queridinhos". Precisamos, de fato, nos preocupar caso esses objetos estejam atrapalhando a vida da família – ocupando um espaço precioso que poderia ter outra utilidade ou, na pior das hipóteses (como no programa de televisão por assinatura, *Acumuladores*, exibido no canal Discovery Home & Health), restringindo até o espaço para locomoção. Se isso estiver acontecendo, você realmente precisa dar um jeito. Com todo o resto, no entanto, o processo deve se desenrolar sem pressa e sem radicalismos. A ideia é ajudar você a focar o que realmente importa, e não a ter uma casa vazia.

Recebemos todos os dias uma quantidade imensa de tralha sem que nos demos conta: embalagens, correspondências, papéis de recibo etc. Para domar essa bagunça, é importante ter o hábito diário de destralhar. Não precisa ser nada drástico – basta estipular um tempo (de cinco a quinze minutos) e percorrer a casa ou vasculhar sua escrivaninha com uma sacolinha na mão recolhendo o que deve ir para o lixo.

Podemos achar que nossa casa não tem tralha. Ledo engano! Toda casa tem uma série de objetos dos quais podemos nos desfazer. Mesmo a casa mais minimalista de todas terá o rolo do papel higiênico que acabou, um frasco de xampu vazio e uma revista que já foi lida.

Pausa para começar a destralhar!

Veja algumas dicas para fazer isso:

1 Estabeleça limites para o armazenamento de objetos. Por exemplo: uma única estante para todos os livros; uma sapateira que comporte apenas vinte pares de sapatos só deve ter essa quantidade, e não três ou cinco pares a mais espalhados pelo chão. Estabelecer limites é o primeiro passo para controlar a bagunça e garantir que tudo o que você possui tenha um lugar certo.

2 Antes de comprar qualquer coisa, procure analisar se vale o espaço que ocupará na sua vida. Se não tiver lugar para guardar, reflita bem sobre a compra. Se realmente precisar fazer a aquisição, talvez você possa se desfazer de outro item menos importante e liberar espaço.

3 Tenha um sistema para controlar a papelada diária. Uma caixa de entrada costuma ser suficiente para controlar *o fluxo*, mas o que você faz com a papelada arquivada também é importante. Tenha um arquivo para guardar o que for de fato importante manter fisicamente, mas digitalize e recicle todo o resto.

4 Não dá para organizar tralha. Não dá para organizar tralha. Não dá para organizar tralha. Sabe por que eu insisto nisso? Porque às vezes achamos que comprar um monte de caixas e esconder a bagunça vai resolver todos os problemas. Não vai! Destralhar é mais que um verbo: é uma atitude! Porque significa que você está mantendo em sua vida somente o que é valioso ou útil.

5 Sempre que possível, arranje um tempo para fazer uma revisão das coisas. Esse "tempinho" é aquele que temos quando organizamos as meias na gaveta, por exemplo, e tiramos três itens que já deram o que tinham de dar. Ou quando vamos procurar uma revista em uma pilha e aproveitamos para sentar e dar uma revisada no que pode ser reciclado.

6 Tenha o necessário. Henry Thoreau, autor do recomendadíssimo livro *Walden ou a vida nos bosques*, dizia ter orgulho em saber que todos os seus pertences caberiam em um carrinho de mão. Não estou dizendo que você deva fazer o mesmo, mas procure refletir. Quais seriam os objetos que você levaria, se fosse o caso? Será que precisamos de tudo o que temos hoje?

7 Pare de mentir dizendo a si mesmo que "não tem espaço". Acredite em mim, pois já usei essa mentira muitas vezes, quando meu espaço se resumia em um único quarto. Você precisa se adaptar ao espaço que tem. Se você tem coisas demais, também as teria se morasse em uma casa gigantesca.

8 Se você estiver com pique para destralhar a casa inteira de uma vez, bom para você! Saiba, porém, que não precisa fazer isso. Sua casa não ficou cheia de coisas da noite para o dia e não precisa ser destralhada em tão pouco tempo. Além disso, destralhar tudo de uma vez também pode fazer com que você se desfaça de algumas coisas por engano. Quando fazemos aos poucos, temos mais certeza do que estamos jogando fora.

9 Recicle o que puder por meio de coleta seletiva, reutilizando objetos em casa ou doando para instituições de caridade. Quanto menos coisas mandar para o lixo, melhor. Afinal, para o nosso planeta não existe a opção "jogar lá fora". Você ficará surpreso com a quantidade de coisas que não precisam ir para o lixo propriamente dito.

Pausa para começar a destralhar!

10 Mantenha no seu armário (ou no quarto) um cesto ou uma caixa para colocar as roupas que deseja doar. Quando a caixa ou o cesto estiverem cheios, doe as roupas. E não vale pegar de volta o que estiver ali! Se você optou por doar, houve um motivo.

11 Não há muito segredo quando falamos em destralhar. O que você ama e é útil deve permanecer. Todo o resto pode ser vendido, doado, reciclado ou virar lixo.

Se você tem dificuldade de se livrar de algum objeto, pode estar se escondendo atrás das seguintes desculpas:

"POSSO PRECISAR DISSO UM DIA."

A ideia de escassez nos aflige, é verdade. Todo mundo tem medo de passar por dificuldades, mas isso não justifica o acúmulo de tralha. Quer guardar potes de plástico? OK, guarde, mas estabeleça uma quantidade que você realmente use. Pergunte-se quando foi a última vez que você usou aquele objeto que está ali há tanto tempo. Se você responder "nunca" ou "há uns dez anos", é hora de dizer adeus.

Se ainda assim tiver dúvidas, lembre-se de que (infelizmente) as embalagens não vão acabar. Se você precisar de um novo pote, basta ir até o mercado mais próximo.

"FOI MUITO CARO PARA JOGAR FORA."

Você pagou 150 reais por um vaso que está dentro da caixa, no fundo da garagem, porque no final das contas acabou odiando-o ou achando que não tem mais a ver com você. No entanto, você o mantém lá porque custou muito caro. A questão é: continuará tendo custado caro na posse de outra pessoa ou ali, encostado. Não é melhor presentear alguém que realmente aprecie o objeto ou, melhor ainda, precise dele?

Não pense no dinheiro que você gastou, mas quanto vale o objeto agora. Pense na sua casa, no seu espaço e na frustração que sente quando o vê sem utilidade. Presenteie alguém ou venda pela internet. Se for um equipamento eletrônico antigo, você pode doar para instituições de caridade ou escolas.

"É UMA LEMBRANÇA DE FAMÍLIA."

Uma coisa é você ter uma lembrança de família que seja realmente especial, como uma boneca que foi da sua avó e agora é da sua filha. Ou um colar que era da sua tataravó e você usa sempre que tem uma festa especial. Outra coisa totalmente diferente é guardar objetos que não significam nada e que eram tralhas de outra pessoa. Tralha é tralha, seja de quem for.

"LEMBRA UMA ÉPOCA MUITO ESPECIAL DA MINHA VIDA."

Ah, então você mantém seus cadernos da escola porque são tão lindos e lembram uma época tão boa! A pergunta é: para que mesmo? Você não é o que você tem! Vale a mesma dica do item acima: analise tudo com um olhar extremamente crítico e guarde apenas o que realmente tiver um significado especial. Uma boa solução nesses casos é fotografar os objetos antes de se desfazer deles, pois assim você pode guardá-los apenas em forma de lembrança.

"EU COLECIONO."

Existe uma enorme diferença entre uma coleção sadia e uma coisa de louco. Se você e sua família estão se afogando em "coleções", está na hora de rever alguns conceitos.

Ninguém está pedindo para que você se desfaça de coisas e sofra por isso, mas é importante refletir sobre esses sentimentos e avaliar o que é mais importante: algo que você sequer se lembra de que existe ou mais espaço e bem-estar. Lembra-se do nosso papo sobre prioridades? Também vale aqui.

Destralhar: um processo sem fim

Destralhar a casa é um processo contínuo que nunca acaba. Sempre teremos embalagens e objetos que não queremos mais e que gostaríamos de passar para a frente. Manter somente objetos que amamos ou que sejam úteis é apenas o primeiro exercício que você deve aplicar às outras áreas de sua vida. Analise hoje seu trabalho e seus relacionamentos, determinando o que não precisa mais estar ali. Precisamos trabalhar esse desapego porque não temos mais tempo a perder com o que não nos faz bem ou não é coerente com a vida que temos ou queremos ter.

Eu sei que destralhar a casa é muito fácil em comparação ao destralhamento da vida como um todo. Então, relacione todos os seus papéis e faça três listinhas para cada um deles. Trata-se, aqui, de um exercício diferente, que não tem nada a ver com aquele dos objetivos. Peço que você analise o que tem feito atualmente, categorizando suas atividades nos seguintes grupos:

- **Grupo 1:** essencial
- **Grupo 2:** necessário
- **Grupo 3:** desnecessário

O que você classificar no grupo 1 como essencial, coerente e muito importante é aquilo que deve focar e que permanecerá em sua vida. A essa altura, você já deve saber aonde quero chegar.

O que for classificado no grupo 2 muito provavelmente é temporário. Se não for, passe a ver dessa forma. Geralmente são meios de chegar aonde você quer chegar, seja onde for.

O que estiver no grupo 3 deve ser cortado da sua vida. Algumas coisas podem ser eliminadas imediatamente, enquanto outras podem levar mais tempo, mas tenha essa consciência em mente e prepare-se para fazer isso.

Grupo 1: O que é essencial, coerente com o que você é e muito importante?

Pausa para começar a destralhar! 91

Grupo 2: O que pode não ser exatamente um sonho, mas é necessário manter sob sua responsabilidade?

Grupo 3: O que geralmente está ali apenas por convenção e frequentemente o deixa chateado ou desestimulado?

Perceba que saímos do âmbito da nossa residência para tratar também de projetos de vida, atividades, cursos, relacionamentos. Lembra-se de quando pensamos sobre nossos sonhos e objetivos futuros, trazendo-os para o nosso cenário atual? Agora é o momento de aplicar esse exercício, eliminando tudo o que não contribuiu para aquilo que você busca. Ninguém disse que seria fácil, mas faz parte do processo.

Claro que o exercício acima é uma simulação, servindo apenas para que você possa refletir sobre como está distribuindo seu tempo e se tem valido a pena. Será que você está investindo seus dias naquilo que realmente importa, ou as atividades e as responsabilidades do grupo 3 estão tomando seu tempo e tirando o foco?

Depois de destralhar, realizar essa seleção e manter o que realmente importa, você poderá começar a se organizar de verdade. Certifique-se de ter selecionado antes de prosseguir! Aquilo o que restou, a sua essência, é o que importará daqui para a frente.

Pausa para começar a destralhar!

Dicas para diminuir a quantidade de papel em casa

Veja algumas dicas que também podem ajudar na redução da quantidade de papel, o que favorece (e muito) a organização da sua vida:

1 Habilite no seu banco (no *internet banking* ou em caixas eletrônicos) o envio dos recibos de débito para o celular (via SMS) e nunca mais peça a segunda via.

2 Cancele assinaturas de revistas impressas, mantendo somente as edições eletrônicas.

3 Para digitalizar a papelada, você pode usar um escâner, um tablet, um celular ou sua câmera digital.

4 Digitalize seus folhetos de serviços *delivery*.

5 Para textos e documentos que precisam ser revisados por outras pessoas, use serviços como o Google Drive ou o Editorially.

6 Em vez de usar papel para secar as mãos no trabalho, habitue-se a levar sua própria toalhinha.

7 Faça downloads de livros em seu computador, tablet ou outro *e-reader* e doe os similares que possuir em papel.

8 Digitalize suas matérias preferidas de jornais e revistas e recicle o restante.

9 Digitalize fotos antigas e doe os originais para familiares e amigos.

10 Quando comprar algum aparelho eletrônico ou eletrodoméstico, digitalize o manual. Depois, recicle a versão impressa.

11 Em vez de escrever uma lista de produtos que deseja adquirir (livros, roupas etc.), tire uma foto com o celular e envie para sua lista de desejos digital.

12 Digitalize seus cartões de visita e recicle-os.

13 Digitalize os desenhos e os trabalhos de escola do seu filho e recicle-os. Se tiver apego material, mantenha o mais recente pendurado com um ímã na geladeira.

14 Tire fotos do quadro-negro ou das apresentações em salas de aula em vez de tomar notas. Você também pode gravar suas aulas em um arquivo de áudio (com autorização do professor).

15 Digitalize suas receitas preferidas e organize-as em seu computador, dispensando pastas, fichários, livros e cadernos, que ocupam muito espaço.

16 Digitalize contas pagas para tê-las sempre que precisar comprovar algum pagamento. Se não quiser jogar fora depois de digitalizar, guarde-as por no máximo cinco anos.

17 Digitalize documentos antigos.

18 Digitalize antigos trabalhos de faculdade, assim como provas e anotações, e recicle todos os papéis e cadernos.

19 Digitalize cartas antigas e envie-as de volta aos seus amigos, como recordação.

Pausa para começar a destralhar!

20 Digitalize um pouco todos os dias. Recebemos uma quantidade muito grande de papel e, se acumularmos, acabaremos com uma pilha gigantesca.

21 Faça suas listas de compras digitalmente em vez de escrevê-las em um papel (e correr o risco de perder ou esquecer).

22 Digitalize apostilas, notas de aulas, resumos, mapas mentais etc., garantindo acesso remoto a esses materiais.

23 Pague suas contas pelo internet banking e não imprima o comprovante. Salve-o. Se algum dia precisar, imprima-o.

24 Crie notas com todos os seus contatos e livre-se da agenda telefônica de papel.

25 Crie notas para pautas de reunião e, depois, digitalize suas anotações e arquive-as junto com a ata.

26 Digitalize atestados, exames médicos e receitas.

27 Digitalize seus diários antigos e recicle-os. Comece a fazer seu diário atual digitalmente.

28 Tire fotos dos folhetos de supermercado em vez de pegá-los.

29 Digitalize seus exames e outros papéis da época da gravidez e recicle.

30 Digitalize seus certificados de conclusão de cursos diversos, para tê-los sempre à mão quando precisar.

31 Mantenha seu currículo atualizado em uma nota e, quando precisar enviar por e-mail, basta compartilhá-la.

32 Digitalize a carteira de vacinação e os exames dos seus filhos para tê-los sempre com você quando o pediatra solicitar.

Uma ferramenta que sempre recomendo para armazenar arquivos digitalizados é o Evernote (www.evernote.com), que tem um sistema de busca incrível, que permite que esses dados estejam acessíveis por meio de qualquer dispositivo com acesso à internet.

O que fazer com os papéis que precisam ser guardados?

PASTAS SUSPENSAS

A papelada que não está em uso, mas que precisa ser mantida fisicamente, como documentos, certidões, diplomas, escrituras e contas pagas, pode ser arquivada em pastas suspensas. Se não gostar delas, utilize fichários ou pastas sanfonadas comuns.

INFORMAÇÕES DE PROJETOS EM ANDAMENTO

Utilizo o Evernote para gerenciar minhas informações de projetos, mas você pode usar pastas físicas, se for da turma do papel. A ideia é guardar a papelada referente a projetos pessoais ou profissionais em andamento. Não é nada demais: reúna nessas pastas os papéis que podem ser importantes, separando-as de acordo com o projeto.

Por exemplo, se estiver reformando a cozinha, mantenha apenas uma folha com a lista geral de afazeres, comprovantes de pagamento de serviços, contatos importantes e tudo o mais que estiver sendo usado. Depois que o projeto terminar, faça uma seleção e guarde somente o essencial.

Pausa para começar a destralhar! 97

As 43 pastas de David Allen

O método GTD recomenda que tenhamos um arquivo com 43 pastas, que basicamente são pastas para os doze meses do ano e para os 31 dias de cada mês – algumas pessoas simplificam e têm somente 12 pastas, uma para cada mês. Para que servem? Elas permitem que você organize informações de acordo com datas específicas. Você pode ter essa pasta em formato físico (uma pasta suspensa, por exemplo) ou em formato digital (Evernote).

Alguns exemplos de uso das 43 pastas:

1 Você terá uma consulta médica no dia 23. Na pasta do dia 23, você pode inserir uma lista com todas as perguntas que deseja fazer ao médico durante a consulta. No dia, você abrirá a pasta e usará o que estiver guardado nela.

2 Haverá uma reunião muito importante no dia 14, para a qual será preciso ler mais de vinte páginas para se inteirar a respeito. Então, você pode guardar esse material na pasta do dia 13, para fazer a leitura um dia antes.

3 Seu filho precisa levar uma autorização de passeio para a escola daqui a uma semana. Você pode assinar e deixar a autorização na pasta do dia anterior.

4 Você precisa entregar um formulário preenchido daqui a quinze dias. Basta guardá-lo na pasta do dia em questão.

5 Seu dia de pagar as contas da semana será na próxima quinta-feira. Assim, você deve guardá-las na pasta correspondente.

A ideia é conferir as pastas diariamente, para verificar o que precisa ser feito. Como qualquer sistema de organização, é preciso mantê-lo como um hábito para que você confie plenamente nele.

Os usos das 43 pastas são inúmeros. Muitas vezes, essa papelada ocupa espaço, e não sabemos o que fazer com ela, pois não se trata de papéis ou informações que devam ser arquivados. Para organizá-los, você pode utilizar pastas suspensas ou uma única pasta com 12 divisórias (para os meses), em que você organiza o conteúdo dos dias com clipes e notas autoadesivas, dependendo do espaço disponível.

As 43 pastas funcionam como um arquivo de suporte para a agenda, e elas devem trabalhar juntas. Se você não quiser manter um arquivo físico com 43 pastas, é possível elaborar uma versão digital no Evernote, por exemplo.

Agora que o destralhamento já foi feito, que tal começar a organizar a rotina?

Capítulo 4

Começando a criar rotinas

Muitas vezes podemos ter pensamentos como: "Ah, é muito fácil dizer para outra pessoa: simplifique sua vida... mas e depois?". Isso porque o conceito "simplificar" é maravilhoso! Parece até uma palavra mágica. Contudo, no mundo real, com as atribulações do dia a dia, o sonho de conquistar uma vida mais simplificada parece estar muito longe.

Então, antes de partir para nossas rotinas, nós nos aprofundaremos naquele exercício sobre as áreas em que atuamos.

Pegue todas as áreas de responsabilidades da sua vida (que você listou no capítulo 2) e separe-as em três listas: A, B e C (sim, eu adoro listas, como você já deve ter percebido, e esse é um ponto que parece ser comum entre as pessoas organizadas).

Na lista A, você deverá colocar tudo aquilo de que não pode abrir mão. Se tiver um filho, pode ser o papel de mãe ou de pai. Se seu sustento depende do seu trabalho, ele também deve estar nessa lista. Se você teve um infarto e agora precisa ter hábitos saudáveis, o que for relacionado a isso também entra aqui. São exemplos. Cada um sabe o que é essencial de verdade na própria vida. Não estamos falando de atividades, mas de áreas de responsabilidade, está bem?

Na lista B, você coloca tudo aquilo que, se cortar, vai fazer sua qualidade de vida diminuir muito. Não são coisas essenciais, mas fazem parte da vida e têm importância, em maior ou menor escala. Pode ser uma segunda atividade remunerada, uma atividade esportiva ou um hobby preferido que faz muito bem a você.

Na lista C, você coloca todas as outras áreas de responsabilidade que sobraram. Geralmente, são compromissos que assumimos por não saber dizer não, hobbies em que não investimos mais tanto tempo, entre outros.

Lista A	Lista B	Lista C

Começando a criar rotinas

Agora você deve seguir seis passos muito importantes para que a mudança dê certo:

1 Desapegue e corte.

Simplesmente corte tudo da lista C. Nem pense mais a respeito. Apenas corte. Formalize isso com pessoas, caso estejam envolvidas, delete os compromissos da agenda (desmarque-os antes, é claro) e as tarefas relacionadas. Não se assuste: você precisa ser radical aqui.

2 Compare as listas A e B.

Verifique se você investe tempo tanto nos itens da lista A quanto nos itens da lista B. Se estiver faltando tempo para concluir atividades da lista A, corte coisas da lista B.

A regra é: nunca deixe de fazer uma coisa da lista A em detrimento da lista B.

3 Distribua melhor as atividades da lista B.

Tente distribuir melhor as atividades da lista B na agenda. A ideia é refletir sobre o tempo investido em atividades que não sejam essenciais, mesmo importantes. Às vezes nos envolvemos e não percebemos como nosso tempo vai embora.

Também é possível que estejamos usando o horário e o dia errados para atividades da lista B. Analise com tranquilidade. Não corte atividades da lista B a esmo, mas avalie se pode fazer menos ou em horários alternativos que não prejudiquem suas atividades da lista A.

4 Equilibre as atividades da lista A.

A sua lista A é o seu melhor: são coisas que realmente importam, sem as quais você não pode viver. É nela que você deve investir seu tempo, mas, mesmo assim, é necessário que haja equilíbrio.

Faça uma tabela e defina quanto tempo você investe por semana em cada item dessa lista.

Lista de atividades	Tempo investido semanalmente

5 Organize a sua nova agenda.

Com base nas decisões anteriores, reorganize a agenda. Se você utiliza agenda eletrônica, pode categorizar as atividades A e B com cores diferentes, para visualizar melhor o resultado. Caso opte pela agenda de papel, use canetas de cores diferentes. Mais adiante, veremos como organizar a agenda de maneira eficaz.

6 Respeite suas decisões.

Encare suas decisões como compromissos. Se você dedica uma hora por dia a atividades físicas, faça valer seu compromisso assim como você faria em uma reunião de trabalho. Caso isso não seja possível, reavalie e defina se essa é realmente uma atividade importante.

Queremos ter mais tempo para nossas coisas, mas se não soubermos como organizar, esse tempo não poderá ser aproveitado devidamente.

Encontre seu método de organização

Existem diversos métodos de organização e um livro não seria suficiente para falar sobre todos eles. Portanto, escreverei aqui sobre os métodos que utilizo e recomendo. Um deles é o FlyLady, criado por uma norte-americana que assina com o mesmo nome. Considero-o um dos melhores métodos de organização para a casa e as rotinas em geral. Os lembretes diários e as rotinas criadas pelo sistema são realmente úteis e nos mantêm na linha. Se você quiser dar uma olhada, acesse o site (www.flylady.net) e se inscreva. Outro método que sigo é o já citado GTD, criado pelo empresário

David Allen. Gosto muito de ambos os métodos e, por isso, mostrarei alguns passos que aprendi e que podem lhe ajudar.

Para começar, sugiro que sejam criadas duas rotinas: uma para o momento de acordar e outra para antes de dormir. O objetivo dessas rotinas é otimizar o seu dia a dia, deixando certas coisas no piloto automático e garantindo que você não se esqueça de nada importante.

Pense em tudo o que costuma fazer (ou que precisaria fazer) de manhã e antes de dormir. Por exemplo, antes de dormir eu gosto de separar a minha roupa para usar no dia seguinte, então isso faz parte da minha rotina noturna. O intuito aqui é listar todas aquelas tarefas essenciais que devem ser feitas nesses dois períodos, com o objetivo de defini-las previamente e automatizá-las, o que ajudará a poupar tempo.

Minha rotina matutina	Minha rotina noturna

Começando uma rotina para as tarefas da casa

Falamos bastante sobre destralhar, mas, no começo, a adaptação é difícil. Fazemos tudo em um dia e esquecemos em outros, até que deixamos de fazer. Sabe aquelas tarefas com as quais queremos nos comprometer diariamente, mas que não passam de uma empolgação passageira? Pois é! Para evitar isso, tenho uma sugestão: marque quinze minutos em seu *timer* (daqueles de cozinha ou o alarme do celular) e vá realizando cada tarefa. Quando o alarme tocar, pare e vá fazer outra coisa. Você vai se surpreender com o que consegue fazer em quinze minutos!

DIVIDA A CASA EM ÁREAS

Faça um planejamento de limpeza da casa para cada semana do mês. Assim, você não precisará limpar tudo ao mesmo tempo e manterá a limpeza durante o mês inteiro. A ideia é que cada semana do mês tenha um foco de limpeza. Então, vamos lá: divida sua casa em cinco áreas (por exemplo, área 1: varanda, entrada e sala de jantar; área 2: cozinha, área de serviço e quintal; área 3: banheiros e sala de estar; área 4: quartos; área 5: escritório). Lembre-se de que esse passo deve se adequar à realidade da sua residência. Se sua casa tiver muitos cômodos, pode ser interessante agrupá-los em uma única semana (todos os quartos, todos os banheiros, e assim por diante).

Área 1

Começando a criar rotinas

Área 2

Área 3

Começando a criar rotinas

Área 4

Área 5

COMECE A FAZER A MISSÃO DO DIA

As tarefas um pouco mais chatas ou aquelas de que raramente nos lembramos de fazer podem ser finalizadas em poucos minutos (limpar em cima da geladeira, por exemplo). Uma tarefa que deve ser feita uma vez por mês, ou uma vez a cada seis meses, pode ser chamada de missão do dia. A missão do dia é uma tarefa que geralmente leva cerca de quinze minutos para ser realizada e nos dá uma boa sensação de realização. Também é legal porque é difícil cairmos no tédio, uma vez que são tarefas variadas. No geral, a missão do dia deve ter a ver com a área da semana. Chamo de "missão do dia" porque é aquela tarefa que, se o mundo estiver caindo, mas você consegue realizá-la, significa uma reafirmação da sua decisão de manter a casa organizada. Falaremos um pouco mais sobre isso quando tratarmos dos cronogramas de limpeza doméstica.

FAÇA UMA LIMPEZA DETALHADA DE CADA CÔMODO

O primeiro passo com relação à **área** da semana é trabalhar no seu destralhamento. Depois de destralhar tudo, você deve começar a fazer a limpeza detalhada do cômodo em questão, que nada mais é do que aquela faxina completa que deixa a casa brilhando. Aqui, porém, você limpará somente o(s) cômodo(s) correspondente(s) àquela semana. Sim, você está certo: não aconselho um único dia para fazer faxina. Você pode fazer, se gostar, mas eu não gosto de perder um dia de passeio com a minha família para limpar a casa inteira. Aprendi com a FlyLady que vale mais a pena limpar um pouco todos os dias e ter a casa razoavelmente limpa sempre do que tê-la impecavelmente limpa somente um dia por semana.

Para realizar essa limpeza, você deve ter uma espécie de *checklist* com todas as tarefas necessárias para que o cômodo fique limpo completamente. Essas tarefas também serão definidas no cronograma de limpeza e serão distribuídas ao longo dos dias da semana.

MONTE SEU *CONTROL JOURNAL*

O *control journal* é um fichário no qual você deverá guardar todas as informações da casa. As listas detalhadas de limpeza, rotinas que definiu, menus etc. É uma maneira organizada de sempre ter em mãos o que você precisa saber para manter a casa sob controle. O *control journal* pode ser um caderno, um fichário ou ter sua versão digital personalizada no Evernote.

ADOTE A TÉCNICA DOS QUINZE MINUTOS

A técnica dos quinze minutos pode ser usada não só para se livrar da tralha do dia a dia, mas também para outras tarefas. Durante esse tempo, você procura fazer o melhor que conseguir, sem peso na consciência porque "não fez nada aquele dia" ou "ainda falta muito para concluir".

REVISE SEMPRE SUA LISTA DE COISAS A FAZER

Seja qual for o sistema de organização que você utilize, revisar seus projetos e suas listas de tarefas é um dos fatores de sucesso. Por quê? Porque a tendência é anotar tudo o que precisamos fazer, mas esquecer de revisar. Para quem não quer esquentar a cabeça, o método mais simples de organização é ter um caderno no qual anotamos todas as tarefas. Depois, no decorrer do dia, da semana, do mês, devemos

Começando a criar rotinas

verificá-las e riscar aquelas que já foram concluídas. Essa é a maneira mais fácil de organizar o que precisa ser feito, mas ela só pode ser bem-sucedida se houver essa revisão.

TRÊS COISAS QUE VOCÊ PODE FAZER TODA SEGUNDA-FEIRA

Toda segunda-feira tem aquele toque de recomeço, mas muitas vezes precisamos de um estímulo para alavancar. Veja, então, cinco coisas que você pode fazer toda segunda-feira para que a semana comece de maneira organizada:

1 Defina um menu para a semana.

Se você não fez isso no fim de semana, não tem problema. Defina algumas ideias do que pode ser feito todos os dias para não ter de pensar nisso no momento do preparo. Mais adiante, trataremos dos menus semanais.

2 Faça um pouco de exercício.

Nem que isso signifique simplesmente fazer alongamentos ao acordar ou levantar para dar uma volta durante o horário de trabalho. Movimente-se para não enferrujar! Exercícios liberam endorfina, que nos proporciona sensação de bem-estar. Essa prática faz bastante diferença naqueles dias sem muito pique (como costumam ser as segundas-feiras).

3 Não bagunce.

Quando chegar em casa, não deixe o casaco em cima do sofá e os sapatos no meio do corredor. Guarde-os no lugar certo. Lave a louça. Limpe a pia do banheiro. Dê uma geral básica (sem perder um tempo enorme com isso) na casa apenas para não começar a semana no meio da bagunça.

As segundas-feiras podem ser um pouquinho melhores. Então, espero que você consiga despertar colocando a mão na massa!

Rotina não é horário fixo, mas sequência

Um conceito muito importante: as rotinas podem e devem ser adaptadas. Você deve adaptá-las de acordo com seu estilo de vida. Por exemplo, não é necessário fazer a rotina matinal de manhã, literalmente, mas quando você acordar. Digo isso porque muitas pessoas têm horários alternativos e não se levantam necessariamente pela manhã.

O legal da rotina é que ela cria uma sequência de ações. Assim, você não perde tempo pensando: "Hum... o que vou fazer agora?". A rotina é um hábito que nos ajuda a ganhar tempo.

Você pode ter *checklists* de tarefas que devem ser feitas diariamente, semanalmente, mensalmente etc., mas isso não quer dizer que você deva segui-las como verdades absolutas: o importante é saber o que tem de ser feito em cada situação. O objetivo das rotinas é garantir que tudo o que precisa ser realizado seja efetivamente concluído, além de proporcionar segurança e sensação de controle. Ter uma rotina não significa seguir um cronograma rígido, mas flexível e adaptável.

Itens básicos para a vida organizada

Não pense que para ser alguém organizado você precise gastar horrores. Pelo contrário: existem ferramentas simples

Começando a criar rotinas

e baratas que nos ajudam MUITO a organizar o dia a dia. Por isso, separei o que considero "itens de guerra" que toda casa deve ter – assim todos podem saber o que, onde e como cada coisa está planejada.

1 Listas de compras. Toda vez que tiver de sair para fazer compras, leve uma lista. Ela evita que você esqueça alguma coisa e, principalmente, ajuda a impedir compras por impulso. Se quiser otimizar sua listinha, faça-a em seu celular – afinal, ele está sempre com você. Caso opte por uma ferramenta como Evernote, também é possível compartilhá-la facilmente com outras pessoas, se necessário.

2 Caderninho para anotações. Para anotar desde coisas para fazer até ideias que não gostaria de perder.

3 Divisores de gaveta. Itens baratos, que podem ser feitos em casa com papelão ou caixinhas de chá, por exemplo. As possibilidades são infinitas e você ainda reutiliza materiais.

4 Agenda para toda a família. Sem uma agenda, é impossível se organizar. Além disso, não adianta tentar se organizar sozinho, se divide a casa com outras pessoas. Se cada um tiver sua agenda e todos souberem os compromissos de cada um, a rotina da família fica muito mais fácil.

5 Etiquetas. Coisas rotuladas ficam muito mais bonitas e organizadas. Você pode saber hoje o conteúdo daquela pasta que colocou em cima do armário, mas lembrará com tanta facilidade daqui a alguns meses?

6 Saquinhos. Não importa se de plástico ou de pano, são sempre úteis. Você pode guardar coisas separadas por categorias dentro da sua bolsa, por exemplo, ou organizar materiais de escritório.

7 Caixas organizadoras. Sempre precisamos armazenar objetos, e nada melhor que caixas para organizá-los. Não é necessário comprá-las: reutilize embalagens, encapando-as com um papel de presente bacana.

8 Ganchos de parede. Não consigo imaginar um mundo sem esses ganchos. Para toalhas no banheiro e aventais na cozinha, considero uma das principais ferramentas de organização.

9 Arames. Sabe aquele infame araminho do saco de pão? Você pode usá-lo para organizar fios, por exemplo.

10 Prateleiras. Não importa se de madeira ou de aramado, as prateleiras, dentro e fora dos armários, aumentam os espaços e proporcionam uma organização muito melhor.

11 Pastas. Por mais que você diminua a quantidade de papel, eles estão sempre indo e vindo. Assim, mantenha tudo organizado em pastas, que podem ser encontradas em qualquer papelaria.

Como planejar o menu semanal: guia prático para mães e pais muito ocupados

Todos nós temos 24 horas no dia e sete dias na semana. É necessário "se virar nos 30" e fazer o que precisa ser feito. Em casa, durante o dia, ou retornando apenas à noite depois de trabalhar fora, existem algumas coisas que você pode fazer para diminuir o estresse e facilitar a rotina de todos. Criar um menu semanal é fácil e só demanda alguns passos. É um esforço que facilita muito a sua rotina diária, pois você não precisa perder tempo pensando no que vai preparar, além de economizar no supermercado, comprando somente o necessário. Veja como fazer:

1 Simplifique.

Tudo bem querer testar uma receita nova de vez em quando ou preparar um prato mais demorado ou complicado. Na maioria das vezes, porém, é melhor simplificar. Aposte naquilo que você já sabe fazer e que agrada a todos. Faça uma lista dos pratos em um papel ou uma planilha. Você certamente listará mais de sete pratos. Encontre variações entre eles: arroz com purê pode ser servido com uma variedade de carnes ou outros acompanhamentos, por exemplo.

Outra maneira de simplificar é preparar somente um prato por dia. Mesmo que você fique em casa, cozinhe somente uma vez para otimizar o tempo. Faça o jantar (ou o almoço, dependendo da dinâmica da família) em quantidade dobrada e consuma o restante na refeição seguinte.

2 Faça um inventário.

Você possui três áreas de armazenamento de comida: despensa, geladeira e freezer (ou congelador). Verifique o que já está armazenado (que pode ser usado) e o que precisa ser comprado para preparar o que listou anteriormente. Essa será a sua lista de despensa semanal. Pelo menos uma vez por semana, vá ao mercado e providencie tudo. Ou seja: você não precisará comprar comida todos os dias, muito menos perder tempo decidindo o que comprará para cozinhar. Planejando com antecedência, é possível economizar um tempo precioso.

3 Otimize.

Se você tem freezer e não se importa de comer comida congelada, vá em frente! Você pode congelar arroz, feijão e outras opções para consumir ao longo da semana, apenas temperando e esquentando com algum acompanhamento. Otimize o que puder, de acordo com a sua filosofia alimentar.

4 Varie.

É claro que você pode instaurar sábado como o "dia da pizza", mas será que estrogonofe toda segunda-feira terá o mesmo impacto? Então, procure variar as receitas quanto puder. Se você faz espaguete toda semana, varie o molho: tomate, carbonara, branco, bolonhesa etc. Isso pode ser feito com todos os pratos.

5 Curta!

É bom ter as coisas no piloto automático, mas se por acaso você descobrir uma receita nova, simples e rápida, por que não arriscar? Eu adoro cozinhar, e se você também gosta, sabe do que estou falando: é uma delícia descobrir sabores novos e aumentar o repertório. Quem sabe, com o tempo, você não consegue renovar o menu atual?

Montar o menu semanal facilita, e muito, a rotina, ainda mais quando temos uma agenda apertada. Aliás, se você estava ansioso para organizar a agenda, chegou o momento tão esperado. Preparado?

Capítulo 5

Agenda, compromissos e tarefas: manual do usuário

Quando pensamos em nos organizar, a primeira ferramenta que vem à mente é uma agenda, e com razão: nossa agenda deve ser um repositório confiável em que definimos como serão nossos dias, nossas semanas e nossos meses. A maioria das pessoas, porém, não sabe como usar uma agenda de modo organizado. A seguir, demonstrarei a importância de ter uma agenda e como organizar todas as informações.

Para começar, adquira uma agenda. Muitas pessoas dizem que ter uma agenda é desnecessário, pois elas têm todas as informações que precisam na cabeça.

Se você é uma pessoa que não tem problemas com desorganização, continue assim – afinal, em time que está ganhando não se mexe.

No entanto, recebemos uma quantidade tão grande de informações que guardar na cabeça coisas que não precisavam necessariamente estar ali é abusar muito de nós mesmos. É fundamental aliviar a mente para que possamos pensar nas coisas mais importantes, criar e até mesmo empreender. Esse espaço que você ocupa com informações que poderiam ser registradas em outro lugar é valioso. Quantas vezes você não parou para suspirar: "É tanta coisa na minha cabeça que nem sei no que pensar primeiro"?

Se você já perdeu compromissos, prazos ou se esqueceu de informações diversas, é hora de ter uma agenda. Para falar a verdade, em qualquer caso, recomendo manter uma. Ela deve ser o seu foco e precisa ser extremamente confiável. Você deve olhar para a sua agenda e tomar decisões, evitando que, durante um telefonema para marcar uma consulta, você fique procurando um espaço vazio nas próximas semanas... Ele já deve estar claro para você!

Não se preocupe com o formato da agenda: basta ter uma. Algumas pessoas preferem agendas de papel, enquanto outras preferem ter agendas no computador ou no celular. Use a que for mais adequada ao seu dia a dia e seu estilo de vida. Como organizadora profissional, recomendo a agenda do Google (o Google Calendar), que fica vinculada à sua conta e pode ser usada para organizar e-mails e repositórios de arquivos (no Google Drive). A agenda do Google pode ser visualizada *off-line* e é possível sincronizá-la com a maioria dos aplicativos de agendas nos *smartphones*, além de outras vantagens que serão citadas a seguir.

Uma vez encontrada a agenda ideal, eis o que você deve inserir nela:

- Compromissos
- Atividades de rotina
- Lembretes e prazos
- Atividades pontuais

Compromisso é tudo aquilo que tem data e horário para acontecer: consultas médicas, reuniões, cursos, palestras, voos ou jantares, por exemplo.

Atividade de rotina é aquela que já faz parte do seu dia a dia. O tempo que você passa no trânsito é uma atividade de rotina, e esse período deve ser levado em consideração quando você organiza a agenda (imagine marcar uma reunião em um horário no qual você estará se deslocando de um lugar para outro!). Seu horário de trabalho também é uma rotina, assim como a verificação de e-mails, a limpeza da casa e os cuidados pessoais.

Lembretes e prazos são todas as informações que você precisa acessar em dias determinados. O prazo de entrega de um documento importante ou o vencimento da conta de luz, por exemplo, são informações que devem estar na agenda.

Atividades pontuais são tarefas que devem ser feitas única e exclusivamente em uma data específica. Cuidado: aqui reside o perigo! Muitas pessoas costumam colocar na agenda atividades que pretendem fazer ou que acham que precisam ser feitas em determinado dia, sem a real necessidade de serem feitas nessa data. Se fizer isso, vai perder a confiança na sua agenda; ela deve conter apenas o que você realmente precisa saber ou fazer naquele dia. As atividades pontuais de verdade são muito raras e devem ser selecionadas com parcimônia e moderação. A maioria não precisa ter uma data estabelecida, bastando executá-las com antecedência. Não se preocupe: falaremos mais sobre tarefas – incluindo as pontuais – mais adiante.

Recomendo que essas quatro categorias de informações sejam diferenciadas por cores. Se você utilizar a agenda do Google, atribua uma cor diferente para cada dado inserido ou mantenha uma agenda para cada categoria. Fica a seu critério. A categorização por cores também pode ser feita em agendas de papel, com canetas de cores diferentes.

Minha recomendação com relação às cores é a seguinte:

- compromissos: azul;
- atividades de rotina: cinza (ou preto, no papel);
- lembretes e prazos: vermelho;
- atividades pontuais: verde.

Você se habituará facilmente com as cores utilizadas para diferenciar as categorias e em breve reconhecerá as informações só de bater o olho na agenda. É possível ter uma boa visão do dia (com mais ou menos compromissos, muito ou pouco atarefado) e se planejar melhor.

Agora, basta começar! Abra sua agenda e comece a inserir as informações (exceto as atividades pontuais). Lembre-se de que, uma vez que você tenha selecionado o que deve sair da sua vida, precisará tomar providências para que isso aconteça, como cancelar a matrícula em um curso, por exemplo. Você pode marcar essas atividades temporárias com outra cor aleatória, lembrando-se sempre de que elas não deveriam mais estar ali.

Veja alguns exemplos do que você pode inserir e em que categoria entra cada item:

Programa	Categoria
Consulta ao dentista	Compromissos
Reunião de pais e professores	Compromissos
Aniversário do pai	Lembretes e prazos
Tempo dedicado à rotina noturna	Atividades de rotina

Período de trabalho no escritório	Atividades de rotina
Prazo de entrega de projeto	Lembretes e prazos
Data em que a roupa fica pronta na lavanderia	Lembretes e prazos
Fulano entrará em contato para tratar de uma proposta comercial	Lembretes e prazos
Jantar com amiga	Compromissos

Lembre-se de que o segredo de toda execução é a revisão. É importante revisar a agenda toda noite antes de dormir para tomar conhecimento de como será o dia seguinte. Se você sabe que terá uma reunião importante, já pode separar a roupa que usará com antecedência, por exemplo, facilitando sua manhã. Imagine que você se esqueça daquela reunião com um fornecedor e vá para o trabalho com uma roupa bem mais ou menos, ou deixe de levar a roupa da academia, que você deveria ir para lá depois do expediente?

Como planejar a agenda

Além de marcar seus compromissos e suas atividades, você deve se organizar para evitar a inserção aleatória de itens. O planejamento da agenda, no entanto, deve ser semanal. Escolha o melhor dia para fazer isso. Eu prefiro os domingos, quando posso me sentar ao computador e analisar o que já está planejado para a semana, inserindo informações que faltam, como períodos de deslocamento. O legal de usar a agenda do Google é que você pode mover compromissos ao longo do dia, arrastando os itens. Explico: suponhamos que eu tenha planejado passar quarenta minutos no trânsito entre a minha casa e o trabalho. Nesse dia, porém, eu dei sorte e levei apenas vinte minutos para percorrer o trajeto. Posso ajustar essa informação na agenda do Google e inserir outra atividade nos vinte minutos que sobraram. Isso pode ser útil para planejar novos eventos ou inserir tarefas que dependiam de uma disponibilidade extra de tempo. Outro exemplo: demoro quinze minutos para tomar banho, mas tenho apenas uma ideia do horário em que isso acontecerá. Quando estiver definido, arrasto a atividade para o horário certo e reorganizo a agenda do dia.

Também vale a pena, na revisão semanal, dar uma olhada geral nas próximas quatro semanas, para saber o que vem pela frente. Você pode ter uma viagem marcada para daqui a quinze dias que demande algumas providências, assim como uma festa de aniversário em que queira levar um presente que precisa ser comprado logo.

Mensalmente, costumo fazer um balanço geral do mês que passou, para verificar como gastei meu tempo e o que tenho planejado para os meses seguintes. Posso ter vontade de fazer uma viagem nas minhas próximas férias, daqui a oito meses, e ainda não ter começado o planejamento (pesquisar hotéis e passagens, por exemplo). Com antecedência, é possível se organizar melhor, economizar e adiantar providências, e isso só é possível com o uso de uma agenda.

Quando comecei a utilizar o método GTD, percebi como usava minha agenda de maneira errada. Costumava abri-la na página do dia em questão e ir anotando o que precisava fazer. Se você quer utilizá-la como uma espécie de diário, anotando todas as informações que chegam, tudo bem, mas a grande verdade é que a maioria não procede assim.

Agenda, compromissos e tarefas: manual do usuário

Levante a mão quem nunca anotou um monte de tarefas em um dia da agenda e, como não tinha como fazer tudo, deixou as tarefas para o dia seguinte.

Por que isso não funciona? Porque nosso dia a dia é maluco. Recebemos demandas o dia inteiro e, por mais organizados que tentemos ser, muitas vezes não conseguimos realizar tudo. Foi assim que descobri o GTD e passei a organizar meus projetos de outra maneira. Entendi que a agenda deve ser utilizada para compromissos e tarefas extremamente pontuais. Contudo, é importante tomar um cuidado enorme com isso, porque não se trata de tarefas que *queremos* fazer naquele dia, mas que realmente *precisam* ser feitas. Por exemplo, existe uma grande diferença entre uma tarefa como "pagar a conta de luz que vence hoje" e "organizar o armário". Deu para sentir a diferença? Uma realmente tem um prazo, a outra não. E somente aquelas que têm um prazo devem ser anotadas na agenda.

Fuja dos mitos!

Quando falamos sobre organizar a vida, existem dois mitos. O primeiro deles é que toda pessoa organizada é neurótica. O segundo é que a organização é um milagre – algo que não demanda esforço e que se dá de uma hora para outra. Esqueça esses dois mitos se você deseja se organizar. Não existem pessoas perfeitas, e qualquer um pode se organizar com o mínimo de boa vontade.

Sabe por que é difícil se organizar no dia a dia? Porque não enxergamos nossas prioridades. No entanto, acho que o conceito mais importante disso tudo é: você pode fazer tudo o que quiser, desde que se organize para isso, mas não pode fazer tudo ao mesmo tempo.

Comento sobre esses mitos porque gostaria de dar algumas dicas para a organização de horários e afazeres:

1 Se você tem muitos compromissos, procure ter sempre um tempo de respiro entre eles na agenda, para evitar atrasos. Inclua de quinze a trinta minutos entre os horários previstos para cada compromisso. Pode parecer exagero, mas quase nunca é! Imprevistos são exatamente isso: acontecimentos que não podemos prever. Assim, não há como inseri-los na agenda, mas podemos nos prevenir com esses pequenos intervalos.

2 Durante um dia de trabalho, faça ciclos de uma hora e meia para cada quinze minutos de descanso. Nessa pausa, você pode ir ao banheiro, beber água, dar uma volta etc. Isso permitirá que você se concentre nesse tempo disponível. Existe uma "técnica" muito simples chamada Pomodoro, em que trabalhamos em ciclos de 25 minutos cada, que é excelente para manter o foco no trabalho ou concluir rapidamente algumas atividades.

3 Você já estabeleceu seus objetivos de longo, médio e curto prazo. Durante a semana, é importante dar atenção a esses objetivos, pois eles existem justamente para que você não perca o foco.

4 Descubra seus períodos de maior produtividade durante o dia e deixe para esses horários as tarefas mais chatas e complicadas. Naqueles períodos em que você sempre fica com sono ou sente que o tempo não rende, faça suas atividades de rotina, que já estão no piloto automático.

5 Para conseguir dar conta das tarefas de casa, separe-as em dois tipos: as administrativas e as de rotina. As administrativas são

Agenda, compromissos e tarefas: manual do usuário

aquelas que envolvem pagamento de contas, planejamento do menu semanal e compras no supermercado, por exemplo. As tarefas de rotina são aquelas que mantêm a sua casa de pé, como trocar a roupa de cama e lavar a louça. Estabeleça um dia da semana para cada tarefa administrativa. Para as outras, estabeleça rotinas.

6 Controle um pouco o nível de informações que chegam até você diariamente. Uma das principais características das pessoas improdutivas é ficar com o e-mail aberto o tempo todo, sendo interrompidas a cada instante. Se não for o e-mail, é o Facebook. Se não for o Facebook, é o WhatsApp. Discipline-se e evite interrupções, estabelecendo horários para checar e-mails, redes sociais e mensagens.

7 Uma vez por semana, verifique se algo na sua casa precisa de reparos. Há sempre alguma coisa, nem que seja uma lâmpada para trocar. Faça também uma verificação no carro para evitar imprevistos e gastos de última hora. Também entram aqui os exames de saúde rotineiros. Lembre-se de que se você não estiver bem, não conseguirá fazer mais nada.

8 Crie uma lista de tudo o que precisa fazer e, diariamente, escolha as três coisas mais importantes. Quando concluí-las, escolha mais uma, e assim por diante, até o final do dia. Repita o processo nos dias seguintes.

9 Na segunda e na sexta-feira, faça uma revisão dos projetos em todas as áreas de sua vida para não se esquecer de nada nem deixar coisas importantes de lado. Você certamente fará uma listinha de novas tarefas após essa revisão. Aproveite para estabelecer as prioridades da semana e, com o passar dos dias, vá executando as tarefas relacionadas.

10 Quando você perceber que tem adiado uma tarefa muitas vezes, tente descobrir o motivo. Talvez seja mais fácil dividi-la em tarefas menores, que são mais fáceis e de execução mais rápida.

11 Analise com cuidado quando tiver um tempo livre na semana. Ficamos tentados a encaixar mais tarefas e compromissos, mas é importante ficar sem fazer nada também, para descansar o corpo e o cérebro.

12 Aprenda a abrir mão de compromissos e tarefas que não caibam em sua vida no momento. Uma vez definidos seus objetivos e suas prioridades, basta consultá-los quando se deparar com um projeto novo. Se sua vida finalmente estiver equilibrada, avalie se há necessidade de estressá-la com novos compromissos e atividades. Às vezes, tudo o que precisamos é de um tempo para curtir o que cultivamos até o momento.

13 Conheça seus limites. Delegue tarefas para outros colegas de trabalho, em casa ou, se puder, pague por isso. Nada importa mais do que a saúde, bons relacionamentos e produtividade no trabalho. Procure ter uma relação saudável com seus projetos, mantendo em primeiro plano aquilo que for realmente importante.

14 Quando for possível concluir uma tarefa em dois minutos ou menos, faça-a imediatamente. Não vale a pena postergar algo tão simples.

15 Em vez de anotar o que precisa fazer em notas autoadesivas e papeizinhos que ficam espalhados por aí, use um único caderno. Chamo esse caderno de caixa de entrada, como aquela de e-mails mesmo, mas que contém informações: insiro a data e, na sequência, todas as informações que chegam até mim

Agenda, compromissos e tarefas: manual do usuário

naquele dia, sem me importar com a organização. Você pode usar a ferramenta de sua preferência ou mesmo manter o caderno. Passar as informações para o papel é infinitamente melhor do que anotá-las em vários papéis que podem se perder.

16 Faça tudo o que puder para tornar suas tarefas mais prazerosas. Ouça música, tome uma xícara de café, sente-se em uma poltrona confortável, trabalhe ao ar livre etc. Promova mudanças positivas no seu ambiente de trabalho para produzir melhor.

17 Sempre que conseguir, planeje compromissos e antecipe o que puder. Não deixe para comprar passagens de última hora se pretende viajar daqui a seis meses, por exemplo. O planejamento é um exercício que permite antecipar providências, em vez de trabalhar sempre com as demandas que chegam com grau de urgência – além de nos ajudar a poupar tempo e dinheiro.

Não fique pensando em tudo o que precisa fazer! Em vez disso, simplesmente comece a fazer alguma tarefa da sua lista. Ficar lamentando a falta de tempo é até enfadonho, visto que ninguém hoje em dia tem tempo. Faça o melhor que puder, nem que seja bem pouco, pois isso é melhor do que não fazer nada. O que não vale a pena é abrir mão da organização com desculpas como "não quero ser neurótico com organização" ou esperando uma solução milagrosa da noite para o dia. Tudo o que você precisa é de um pouco de boa vontade.

Recebo constantemente perguntas sobre maneiras de lembrar de tudo o que temos para fazer. As pessoas dizem coisas como: "Thais, eu sei que preciso usar agenda, caderno, caixa de entrada, celular, e-mail, mas não sei exatamente o que usar para não me esquecer de nada". Confira, então, algumas dicas simples que o ajudarão a organizar cada categoria de informações:

1 Tudo o que tiver data.

Toda informação que estiver relacionada com alguma data deve entrar na sua agenda. Parece óbvio, mas no dia a dia acabamos confundindo. Veja alguns exemplos:

- "Aniversário da amiga entra na agenda?" Sim.
- "Devo estabelecer um dia na agenda para comprar o presente?" Não, pois pode ser que nesse dia você não consiga.
- "Tenho uma reunião na terça que vem. Entra na agenda?" Sim.
- "Preciso preparar uma apresentação para essa reunião. Posso estabelecer que vou fazê-la três dias antes?" Não, pois você pode prepará-la a qualquer momento. No entanto, o prazo para ter a apresentação pronta um dia antes pode estar como lembrete na agenda.
- "Preciso separar meu passaporte um dia antes de viajar. Coloco na agenda?" Sim, mas como lembrete.
- "Preciso arrumar minha mala antes de viajar. Coloco na agenda?" Não, pois você pode arrumá-la um dia antes.

Deu para pegar o espírito da coisa? Na agenda, deve entrar somente o que tem data marcada mesmo, e não datas ideais.

2 Tarefas que não têm data específica.

Você deve utilizar o sistema que funcionar melhor para você. Pode ser um simples caderno com listas diversas, desde que você revise sempre para verificar o que deve ser feito. Recomendo uma ferramenta chamada Toodledo (www.toodledo.com) para organizar projetos e tarefas.

3 Caderno como caixa de entrada.

O nome é autoexplicativo, mas vamos lá: eu tenho um caderno normal, pautado ou não, e todos os dias anoto a data em questão e vou escrevendo as informações que julgo importante anotar: tarefas, ideias, lembretes. No fim do dia, risco o que já concluí e processo o que ainda não foi feito. Processamento é um termo do método GTD. Significa pegar a primeira informação da sua caixa de entrada e decidir o que fazer com ela (descartar, anotar na agenda, gerenciar como tarefa, arquivar, delegar etc.). E assim até que você resolva todas as informações da sua caixa de entrada.

O objetivo é centralizar todas as informações em um único lugar. Já tentei usar fichas pautadas, blocos, papéis soltos, mas nada supera o poder centralizador de um bom e velho caderno.

Como usar a agenda do Google (Google Calendar)

Utilizo a agenda do Google há muitos anos e acredito que seja uma boa maneira de manter uma agenda organizada. Veja como essa ferramenta gratuita pode ajudá-lo:

1 Múltiplas agendas.

Você pode criar uma agenda para cada membro da família e visualizar todas ao mesmo tempo (ou uma de cada vez). Esse simples recurso já ilustra o potencial da ferramenta, especialmente se você tem filhos. Ter uma visão geral do dia a dia, incluindo os compromissos da família, proporciona uma sensação de controle enorme.

2 Foco.

Você não precisa visualizar todas as agendas simultaneamente – se quiser ter uma visão geral dos compromissos de trabalho, por exemplo, basta selecionar a agenda em questão. Isso pode ajudar a focar o que precisa ser feito quando estiver trabalhando em algum projeto com diversas etapas.

3 Organização por cores.

Toda pessoa viciada em organização gosta de dividir categorias diversas por cores. Para isso, a agenda do Google é perfeita! Se você for paciente e mantiver sempre as mesmas cores, essas divisões ficarão guardadas na memória e, só de bater o olho, você já terá uma visão geral dos compromissos diários.

4 Mobilidade.

Você pode acessar a sua agenda do Google do computador, do celular, de casa, do trabalho. Ela está sempre lá, on-line ou off-line, com a vantagem de não precisar carregar sempre uma agenda com você.

5 Sincronização.

Você pode criar uma agenda e compartilhá-la com membros da família. Quando você alterar algum compromisso,

Agenda, compromissos e tarefas: manual do usuário 137

a outra pessoa receberá essa atualização. Além disso, se você alterar seus compromissos pelo celular, ao acessar a agenda do computador, as alterações estarão lá.

Eis duas das melhores vantagens da agenda do Google: ela é gratuita e ilimitada! Você pode simplesmente acessar a sua conta e começar a atualizá-la.

Revisões constantes: esse é o segredo

Para nunca se esquecer de nada, eis uma sugestão de rotina de revisões:

1 Revisão diária:
- Checar a página da agenda para o dia (compromissos e o que precisa ser feito).
- Visualizar as listas de tarefas para o dia em questão.
- Verificar listas de tarefas de acordo com o contexto em que você está inserido e a prioridade com que devem ser feitas.
- Ver listas de tarefas de rotina.
- Revisar o caderno caixa de entrada e processar as informações.

2 Revisão semanal:
- Pagar contas.
- Verificar a agenda da próxima semana.
- Revisar as listas de projetos.

- Gerenciar as tarefas e programar a execução de algumas delas ao longo da semana.
- Revisar a lista de objetivos.
- Digitalizar arquivos pendentes da semana.

Revisar o que precisa ser feito é o segredo do sucesso. Só anotar não adianta nada se você não acessar seu sistema para saber o que precisa ser priorizado.

Projetos e tarefas

Você deve ter lido muitas referências a tarefas e projetos e pode estar se perguntando: "Mas, você não vai mostrar como devo organizar tudo isso?". Vou, sim!

A melhor maneira de organizar suas tarefas é aquela que funciona para você. Digo isso porque muitos leitores do blog me perguntam qual a melhor ferramenta para organizar tarefas ou o melhor método de organização. Apesar de eu utilizar o método GTD, não acho que ele sirva para todo mundo, assim como muitas pessoas não gostam de utilizar minhas duas ferramentas preferidas, que são o Evernote e o Toodledo. Há os que preferam listas diárias feitas em folhas de papel e os que usam sistemas complexos ou até aplicativos. Independente disso, apresento algumas orientações básicas:

1 Tenha uma lista de coisas a fazer.

É impossível pensar em se organizar sem ter ideia do que precisa ser feito. Premissa básica: não confie na sua memória – anote as informações em algum lugar, seja qual for.

2 Use somente um sistema para gerenciar tarefas.

Nada de ter um aplicativo para compras, outro para tarefas do trabalho, outro para atividades domésticas, e por aí vai. Sei que existem aplicativos muito práticos, mas diversas fontes de consulta complicam muito a vida. Tenha somente uma fonte confiável onde seja possível centralizar tudo o que precisa ser feito.

3 Tenha suas listas sempre com você.

Não importa se você vai usar papel ou meios eletrônicos: o importante é ter suas listas sempre por perto, acessíveis onde quer que você esteja.

4 Planeje-se uma vez por semana.

O problema de planejar uma vez por dia é que você acabará trabalhando sempre em cima do que é urgente, e não do que é importante e que demanda uma visão geral. Um mês também é muito tempo para planejar. Portanto, é recomendável fazer um planejamento semanal. Distribua tarefas ao longo da semana, verifique os compromissos e equilibre as atividades. Uma vez por dia, verifique tudo o que precisa fazer e, se for o caso, adie tarefas. Deixe para o dia somente o que realmente precisa ser feito. Lembre-se de que suas tarefas fazem parte de projetos e de áreas de responsabilidades, que têm objetivos de curto, médio e longo prazo associados.

5 Agende tarefas que você sempre posterga.

Lembre-se: se você estiver postergando eternamente uma tarefa, porque ela não tem data específica, tente agendá-la. Se mesmo assim não conseguir executá-la, pode valer a pena diluí-la em passos menores. Essa é a melhor maneira de acabar com a procrastinação.

AFINAL, QUAL A MELHOR FERRAMENTA?

Diariamente, surgem ótimos aplicativos e ferramentas para o gerenciamento de projetos e tarefas. Minha dica para escolher entre tantas opções é: atenha-se ao formato que funcione melhor para você e analise se a ferramenta atende bem ao método de organização que você escolheu. Qualquer ferramenta que atenda a esses requisitos será um bom gerenciador de tarefas.

Costumo recomendar sempre duas ferramentas que, para mim, funcionam muito bem: o Evernote e o Toodledo.

O Evernote funciona como um cérebro virtual, onde armazeno absolutamente tudo. Utilizo-o como caixa de entrada, gerencio projetos e arquivos relacionados, o sistema das 43 pastas e todos os arquivos de referência no geral. Os usos do Evernote são inúmeros e certamente renderiam um livro inteiro a respeito.

A segunda ferramenta é o Toodledo, criada para a aplicação do método GTD. Adotei-a há muitos anos e até hoje não conheci um gerenciador mais adequado. Utilizo diversos recursos, como o planejador de atividades e as estatísticas de como empreguei meu tempo executando tarefas.

Para orientações a respeito da organização de projetos e tarefas e se você quiser saber um pouco mais sobre o GTD, recomendo a leitura do livro *A arte de fazer acontecer*, de David Allen, pois eu não poderia resumir o método em poucos parágrafos, correndo o risco de ser injusta. No entanto, vale lembrar que sigo e recomendo uma hierarquia:

- Objetivos de longo prazo
- Objetivos de médio prazo
- Objetivos de curto prazo
- Projetos
- Tarefas

Uma vez que esses itens estejam interligados, utilizo o Toodledo para a aplicação prática (e revisão diária) e o Evernote para, além de todos os outros usos, centralizar informações, detalhes e descrições relacionadas (especialmente para a revisão semanal).

Se seu objetivo for unicamente aplicar o que recomendo no livro ou gerenciar suas tarefas, escolha a ferramenta que atenda aos requisitos já citados, associando-a ao uso da agenda. A própria agenda do Google possui um sistema gerenciador de tarefas simples que pode ser utilizado se você quiser manter tudo em um mesmo lugar.

Quando comentei que algumas tarefas pontuais pudessem ser gerenciadas de outra forma que não na agenda, foi justamente porque, muitas vezes, vale a pena manter todas as tarefas em um único lugar. Fica a seu critério. A vantagem de manter na agenda é a visualização forçada, enquanto a vantagem de manter no gerenciador de tarefas é unificar as tarefas em um só lugar.

Como organizar os e-mails

Uma das principais dicas com relação à organização de e-mails é: "tenha uma única conta". Isso, porém, pode não funcionar para todo mundo. Como recomendação geral, sugiro que exista pelo menos uma conta pessoal e outra para uso profissional.

Também recomendo a criação de uma conta somente para cadastros, a fim de centralizá-los e evitar o recebimento de spans.

Meu método de organização é processar diariamente cada caixa de entrada. No caso dos e-mails, separo as mensagens nas seguintes pastas:

- Aguardando
- Responder
- Itens de ação
- Arquivo do ano corrente
- Lixeira

Essa tática das pastas é ensinada pelo Daniel Burd (www.calldaniel.com.br), em seu treinamento do GTD, e é extremamente simples.

Em Aguardando, coloco tudo aquilo que depende de outras pessoas ou de condições diversas para acontecer. Se alguém me envia um e-mail assim: "Thais, vou enviar na semana que vem tal coisa", eu movo o e-mail para essa pasta. Se eu envio um documento para alguém revisar, coloco a mim mesma como cópia, e a mensagem vai para essa pasta. A ideia é centralizar em um único lugar tudo o que está nas mãos de outras pessoas ou dependendo de condições externas. Uma vez por semana, na revisão semanal, verifico o que tem ali dentro, arquivo o que foi resolvido e anoto na minha lista de tarefas o nome das pessoas que preciso cobrar na semana seguinte.

Em Responder, coloco todos os e-mails cuja resposta levaria mais de dois minutos para ser elaborada. A regra é: se leva menos de dois minutos, respondo na hora do processamento mesmo, pois é mais fácil. Muitas mensagens são simples, como: "Thais, você poderia confirmar se fulano participará de nossa reunião amanhã?". Então, eu simplesmente respondo. Agora, e-mails como: "Thais, preciso que você me envie um resumo das atividades da semana relacionadas ao projeto X" demandam mais tempo para ser respondidos e devem ser movidos para a pasta Responder. O objetivo é não deixar ninguém sem resposta em 24 horas. De modo geral, confiro e respondo alguns e-mails duas vezes por dia, mas a frequência deve ser adequada à rotina e às necessidades de cada um.

Em Itens de ação, coloco tudo o que demanda uma ação. Anoto na minha lista de tarefas e centralizo os e-mails nessa pasta. Assim, na revisão semanal também vejo o que foi feito e pode ser arquivado, ou o que demanda maior atenção. A ideia é centralizar nessa pasta tarefas que ainda não foram resolvidas. A diferença entre essa pasta e a pasta Responder é que aqui se trata de tarefas mesmo.

Em Arquivo do ano corrente, jogo todos os e-mails de referência. Tenho uma pasta para cada ano e assim arquivo tudo. Não crio mais subpastas porque isso torna tudo mais complicado, mas se você prefere criá-las, continue, desde que não atrapalhe a sua rotina!

E, por último, a Lixeira, que é para onde vai grande parte dos e-mails com propagandas que recebo diariamente.

Fazendo isso ao menos uma vez por dia, dá para manter as caixas de entrada em ordem sem perder muito tempo nessa tarefa. Claro que você demorará mais para organizar tudo na primeira vez porque há muitos e-mails na caixa de entrada. Contudo, a intenção é justamente tornar a organização um processo rápido daqui para a frente.

Capítulo 6

Casa em ordem, mente sã

Nossa casa é nosso templo. Não é à toa que praticamente todos os livros sobre organização foquem a organização da casa, que é onde nos refugiamos de todo o resto e abrigamos as pessoas que amamos, onde nos alimentamos, descansamos e temos nossos momentos de lazer e bem-estar. Uma casa bagunçada pode causar desordem mental, embora algumas pessoas precisem de certo grau de bagunça para funcionar. Ser organizado não significa ter uma casa impecável, mas funcional, que atenda às necessidades dos moradores. Portanto, não se culpe se a mesa da sala estiver cheia de livros, se os livros não incomodam. Pretendo mostrar aqui maneiras de organizar a casa de modo que ela sirva a você e a quem mais morar nela, e não o contrário. O lugar onde você mora não deve ser motivo de desânimo, mas um reflexo de quem você é.

Nossa casa é um projeto vivo que sempre demanda muita coisa para fazer. É importante que cada um conheça as necessidades da própria residência e encare as tarefas como problemas que precisam de soluções. Precisa lavar a louça todos os dias? Então não adianta reclamar a respeito – pense em como otimizar a coisa toda. Divida a tarefa, tenha uma lavadora, lave tudo de uma vez, lave aos poucos, enfim: encontre a solução que funcione melhor para você e para a dinâmica da família. Não existe solução padrão, ideal ou regrada, mas apenas maneiras que funcionam melhor e permitem que as coisas não saiam do controle.

O primeiro ponto é atentar para o tamanho da sua residência. Uma quitinete terá necessidades totalmente diferentes de uma casa com cinco quartos, e o que serve para uma pode não servir para a outra. Do mesmo modo, uma pessoa que fica fora de casa das 5 às 23 horas tem disponibilidade de tempo diferente de uma pessoa que trabalha em casa. Tudo isso deve ser levado em conta ao planejar soluções.

Eu era (e ainda sou) muito a favor de tentarmos fazer tudo por nós mesmos, mas hoje acredito que a praticidade deva falar mais alto. Estamos todos bastante ocupados, então não vejo sentido em deixar o filho de lado para limpar atrás da máquina de lavar, mas isso precisa ser feito! Se eu não tenho tempo, preciso aprender a priorizar, mesmo que, para mim, ficar com o meu filho seja mais importante. O mesmo vale para estudos, projetos, sonhos. Contudo, caso tenha condições financeiras para investir em bons profissionais que ajudem você a ter mais tempo para se dedicar a prioridades maiores, faça isso sem sentir culpa.

O fato é que não dá para fazer tudo ao mesmo tempo. Logo, se você tem um emprego, passa o dia todo fora e ainda quer estudar, cuidar da casa e da família, entenda que suas expectativas com relação a praticamente todas as frentes precisam ser diminuídas. Ou então, será necessário adiar uma coisa ou outra, ou até mesmo deixar algo de lado.

Sobre o trabalho em equipe, é importante lembrar que estamos falando de relacionamentos. Além de nos organizarmos, ainda precisaremos lidar com o estilo de organização das pessoas que convivem conosco. O segredo é ter muita paciência e ser tolerante com pequenas coisas. Não dá para estragar um casamento porque um dos dois riscou uma panela.

Acredito que a observação seja a principal parceira da organização da família. Se uma criança sempre joga a toalha ou a roupa suja no chão do banheiro, talvez esteja faltando um cesto ali, e não uma bronca. Portanto, vale a pena observar as pistas que a bagunça deixa.

Outro ponto importante é a humildade no relacionamento com a família. Na minha opinião, os pais não são donos do bebê, assim como uma pessoa que seja mais organizada não manda na casa só porque a outra não liga muito para isso. Não acredito na disciplina por meio de ordens e antipatia, mas por meio do entendimento e engajamento de cada um. Quando meu marido não faz alguma coisa para manter a casa organizada, mostro a minha alternativa e pergunto a opinião dele. Muitas vezes, ele acha legal e executa porque viu motivo naquilo; não foi uma ordem. Assim como muitas vezes ele pode achar uma enorme besteira e, sinceramente, pode ser mesmo. Isso serve para que eu reflita a respeito, definindo se não estou complicando demais as coisas. O fato é que nada é feito na base do grito, mas do trabalho em equipe, observando as necessidades de todos e o estilo de arrumação de cada um. A organização tem de ser o caminho mais fácil, senão não será possível nunca.

Assim, vale levar em conta se ter uma família organizada é mais importante que manter a harmonia da família. Não vale a pena viver brigando porque um é superorganizado e o outro é bagunceiro. Não se trata de abrir mão, mas de ter prioridades.

As revistas nos passam a imagem de uma casa perfeitamente arrumada, que tem o mesmo efeito das fotos de modelos magérrimas na cabeça das mulheres. No entanto, a vida real não é assim. Essa utopia da busca pela casa perfeita não nos faz bem e, muitas vezes, não é o modelo que melhor nos representa.

Lembre-se sempre de que organização é diferente de arrumação. Quer arrumar a bagunça na sala? Pegue uma caixa enorme e jogue tudo dentro. Maravilha? Que nada! A sala pode estar arrumada, mas não está organizada. Afinal, você sequer se lembra do que jogou dentro da caixa...

Organizar a casa significa torná-la funcional para você e para a família. É saber onde estão a sua chave, os controles da televisão, pagar as contas em dia, ter um pente no banheiro e um relógio nos lugares em que você precisa ver as horas. Se tudo isso puder ser feito com beleza, tanto melhor! Não pense, porém, que uma arrumação perfeita significa organização.

Gostaria de propor um exercício a você. Observe sua casa com os "óculos da tralha". Mantenha no seu lar somente o que você ama, que tenha algum valor ou que seja realmente útil. Veja de que maneira essas coisas poderiam ser guardadas para que você encontre tudo o que precisa quando necessário. Não seria bom abrir a gaveta de talheres e ver somente o que você usa no dia a dia, arrumado e pronto para ser utilizado, sem ter de tirar da frente aquele monte de cacarecos?

Se a pilha de revistas não tem motivo para estar ali, ela não deveria estar. Apesar de arrumadas, seu espaço está desorganizado porque você está acumulando tralhas que poderiam dar lugar a coisas mais importantes ou deixar um vazio que permita ao cômodo respirar um pouco.

    Reflita sobre o uso dos objetos, da sua casa e, principalmente, sobre o ideal de perfeição que devemos ter como inspiração. Nossa vida é real, e o que acontece dentro de nossas casas diz respeito somente a nós. Isso, sim, é ser dono de casa. Então, vamos lá:

Quais são os pontos da sua casa que precisam de atenção especial neste momento?

Você se lembra das dicas do capítulo 4? Então, só para recapitular:

1 Divida a casa em áreas.

2 Comece a fazer a missão do dia.

3 Faça uma limpeza detalhada de cada cômodo.

4 Monte seu *control journal*.

5 Adote a técnica dos quinze minutos.

Organizando os papéis da casa

Se você é um ser humano normal, possivelmente tem toneladas de papel em casa, como contas, documentos, cadernos, provas, enfim. O que fazer com eles, afinal?

1 Passe pelos cômodos da casa e recolha todos os papéis que estão fora do lugar.

2 Sente-se e separe todos esses papéis em categorias. Podem ser: contas, cartas, recados, propagandas, trabalhos, estudos. Veja o que funciona melhor para você.

3 Separe o que é lixo. Se você recebeu alguma propaganda interessante, resolva imediatamente o que fará com ela e jogue-a fora.

4 Você já possui um lugar onde guarda as suas contas, por exemplo? Guarde-as agora, então. E para os outros papéis, como provas da escola de seus filhos? Seus desenhos?

Anotações importantes? Se você não tem, é interessante providenciar.

Além das dicas acima, você pode seguir as dicas dos capítulos anteriores e reduzir da maneira que puder a quantidade de papel em casa, arquivar documentos importantes em ferramentas como o Evernote ou utilizar pastas para arquivar o que ainda precisa manter em papel.

Cada coisa em seu lugar

Um dos conceitos mais comuns de organização é que cada coisa deve ter o seu lugar – e de tão comum até parece bobo. No entanto, é uma grande verdade, uma vez que devemos manter em casa somente o necessário, desde que haja espaço para guardar. Como já dissemos, se você não tiver espaço para guardar um objeto, das duas, uma:

- Ou ele não precisaria estar ali, então pode ser doado, vendido etc.
- Ou existe algum objeto menos necessário que está ocupando um espaço que poderia ser destinado a algo de maior importância.

Em resumo, ter lugar em casa para todos os objetos que você possui demonstra que você é uma pessoa organizada, pois significa que não tem tralha.

Além disso, todas as vezes que pensar em comprar algo, você se lembrará desse fato e se perguntará se há lugar disponível para guardar a nova aquisição. Caso não tenha, poderá se questionar se é algo que realmente vale a pena.

Assim, quando não tiver lugar para guardar determinado objeto, pergunte-se:

- Eu amo esse objeto?
- Eu uso esse objeto?
- Tenho lugar para guardá-lo?
- Estou disposto a me desfazer de algo para que eu tenha um lugar para guardá-lo?
- Alguém da minha família ama ou usa esse objeto?

Se você respondeu não para essas perguntas, então está na hora de jogar fora, doar, vender ou reciclar.

Muitas vezes, se uma coisa não tem lugar na casa, vale a pena questionar se ela tem lugar na vida – mas é importante ter certeza de que não há um pouco de tralha emocional nisso tudo.

É claro que existem exceções, como uma pessoa que acabou de se mudar e ainda não comprou todos os móveis necessários. Ou alguém que recebeu um monte de objetos de um falecido parente e ainda não deu conta deles. Se, porém, o seu caso não é nenhum desses, avalie o que você tem.

Caso seja um objeto essencial, encontre uma solução para armazená-lo, mas se for apenas decorativo ou afetivo, integre-o à decoração.

O que não pode é deixar o objeto migrando de um cômodo para o outro, ou empoeirando e estragando-se.

Expectativas

Recebo muitos comentários do tipo "não sei como você consegue" relacionados aos cuidados com a casa e o gerenciamento das atividades cotidianas. Já tentei explicar diversas vezes no blog, mas há um ponto crucial que passa despercebido pelas pessoas: as expectativas. No meu caso, elas não são altas.

Pergunte a uma pessoa que limpa a casa qual a melhor sensação de todas, e ela responderá que é a de sentar no sofá com aquele sentimento de dever cumprido, pois a casa inteira está limpinha e cheirando a lavanda. Eu também adoro essa sensação, mas você já parou para pensar que, em uma casa grande com muitas pessoas, fazer isso é uma trabalheira danada? Quer dizer, se quisermos ter a casa limpa e brilhando todos os dias, das duas uma: ou contratamos uma pessoa para fazer isso por nós ou largamos o emprego e fazemos apenas isso – com as crianças na escolinha, é claro.

Se você pode pagar uma pessoa para limpar a casa para você: excelente! Então, não deve ter problemas com a rotina de limpeza, uma vez que não precisa fazer mais do que lavar a louça (e, em alguns casos, nem isso). Se, porém, você não pode pagar alguém nem largar o emprego, então precisamos bater um papinho sobre expectativas mais realistas.

É importante ter em mente que a casa deve nos servir, e não o contrário. Se você vive em função da sua casa, e a exaustão e a culpa tomam conta de você por não ter conseguido fazer tudo o que queria, pode ser que esteja mirando alto demais.

Vou contar uma novidade a você: não dá para ter uma casa impecável no dia a dia se você não estiver em nenhuma dessas situações. Por favor, tire essa cobrança da sua cabeça e esse peso gigantesco das suas costas. O fantasma da neura não vai assombrar você – não se preocupe!

Você acha que minha casa está impecavelmente limpa neste exato momento, enquanto você lê este livro? É claro que não. Para ajudar em todo o processo, tenho as minhas listinhas de tudo o que preciso fazer diariamente, semanalmente etc. Se eu não conseguir fazer todas as tarefas da minha lista, vou chorar? Não, porém me organizo para concluir as atividades pendentes sem atrapalhar outras tarefas. Quantas vezes não chegamos mais tarde porque pegamos muito trânsito ou tivemos de passar no mercado depois de ter feito hora extra? Não dá para fazer em um dia desses o que faríamos num dia livre, mas é preciso compensar nos dias seguintes.

A grande questão é: não posso ter culpa se não consegui lavar a louça antes de dormir! É o melhor a ser feito? Sim. É altamente recomendável? Sim. É muito mais difícil lavar no dia seguinte? Sim. Eu deveria ter lavado aos pouquinhos em vez de deixar acumular? Sim. No entanto, a realidade nos prega peças, nosso cotidiano é cheio de imprevistos e muitas vezes não conseguimos fazer o que é ideal, recomendável, melhor ou até mesmo o satisfatório. E isso não tem problema nenhum, desde que você não faça da exceção uma regra e deixe sua casa sair dos eixos e ficar inabitável. Entretanto, acredite: se você está lendo este livro e tem essa preocupação, sua casa nunca chegará a esse ponto, então relaxe.

Vou entrar agora em um aspecto muito pessoal: não sou fanática por limpeza. Já fui, mas não sou mais, provavelmente desde que meu filho nasceu, que foi quando percebi que seria impossível dar conta de tudo. Passei a me incomodar bem menos com a poeira na estante, por exemplo, e a limpar somente quando realmente houvesse sujeira. Aliás, por que temos essa mania de limpar o que não está sujo? Hábito, simplesmente. O brasileiro tem o hábito de limpar só porque faz parte da rotina, ou porque sábado é dia de faxina, mesmo que, muitas vezes, não seja necessário.

Já cansei de transferir uma tarefa da lista semanal para a lista quinzenal, ou da lista diária para a semanal. Isso faz parte. Se eu não consigo passar aspirador todos os dias, passo a cada dois, ou mesmo uma vez por semana. Não é isso que vai manter a minha família alimentada ou as contas pagas. Existem tarefas que são muito mais importantes e que precisam ser feitas. Não posso deixar de cozinhar, por exemplo, nem de organizar as minhas contas, porque senão tudo entra em colapso. Também não posso deixar de lavar a louça ou a roupa. Há coisas que simplesmente precisamos fazer. E, quando digo que as suas listas de limpeza, especialmente as diárias, devem conter apenas o essencial, é justamente porque ninguém merece se tornar escravo da casa e passar o tempo todo limpando.

A ideia é fazer o mínimo possível e otimizar o processo justamente para que você consiga se dedicar a outras atividades mais importantes, nem que seja simplesmente descansar e ler um livro. Minha lista diária, por exemplo, tem menos de dez tarefas, e a maioria delas é feita pelo meu marido, e são todas tarefas muito simples. Eu fico mais com a parte gerencial: separar as roupas que serão lavadas amanhã (ele só liga a máquina e, se não conseguir estendê-las durante o dia, faço isso à noite), definir o menu semanal, a lista de compras (adoro cuidar disso!), separar as contas (centralizo os pagamentos), organizar a mochila da escola do filhote etc. Portanto, trabalhamos em conjunto.

Por isso, friso novamente a importância de trabalhar em equipe. Muitas leitoras me dizem que seus maridos não ajudam. Meninas, para começar, "ajudar" é o termo errado. "Ajudar" significa que o papel de limpar é seu, e que ele só dá uma mãozinha quando puder e quiser. Não, não. Todos os moradores da casa devem trabalhar, e é assim que as coisas devem ser. Ainda bem que nossa realidade está mudando. Entendo que existe muito homem cabeça dura por aí, mas atualmente a maioria faz até mais coisas que a mulher em casa, porque ela está trabalhando, fazendo cursos, vivendo uma vida. Basicamente, tendo enfim os direitos que os homens sempre tiveram, então é óbvio que a carga da mulher tem de ser dividida com eles. Isso não é ajuda nenhuma: é obrigação.

Não coloquemos, porém, os maridos na fogueira: todo mundo deve trabalhar! Eu sei que filhos adolescentes oferecem certa resistência, mas não podemos desistir. Para mães de adolescentes, recomendo o seguinte: não dar mole e ensiná-los a ser independentes. Já para as mães de crianças menores, aconselho envolver as crianças desde cedo nas tarefas de casa. Não precisa colocar uma criança de três anos para trabalhar, mas deixe-a junto com os pais enquanto eles executam uma tarefa, explicando o que estão fazendo, mostrando como se esfrega aqui e ali, pedindo que a criança entregue as peças de roupa para pendurar no varal, entre outras pequenas tarefas. Envolver os filhos desde o início ajuda porque eles percebem que fazem parte de tudo aquilo, que não são meros expectadores. Não existe técnica para resolver completamente essa questão, mas podemos tentar diminuir o número de "traz o refri, mãe!" que você vai ouvir daqui a alguns anos.

Em resumo, precisamos ser mais realistas com relação às atividades de manutenção da casa, especialmente no que diz respeito à limpeza. Todo mundo adora uma casa limpinha e cheirosa o tempo todo, mas nossa realidade está longe disso, dentro das condições de nossa época, ocupados como estamos. Não dá para ter as expectativas dos anos 1960 hoje. Estamos em um período de transição de comportamentos domésticos, o que é excelente! Não há regras, assim como não sabemos o que o futuro nos reserva. A tecnologia está aí para nos ajudar, trazendo cada vez mais eletrodomésticos que, daqui a pouco, farão tudo para nós. Enquanto isso não acontece, porém, precisamos nos lembrar de que, da mesma maneira que não ficamos o dia inteiro cuidando da casa, não podemos achar que teremos aquele mesmo resultado.

Entender isso é um dos caminhos para conservar nossa mente sã!

A limpeza

Busquei inspiração no método FlyLady para criar minha rotina de limpeza e arrumação. Como já disse, não há um modelo definitivo: você se organiza de acordo com as necessidades de sua família.

Para cuidar da limpeza, pode ser uma boa criar um cronograma. Com ele, você pode controlar a frequência com que cada tarefa deve ser realizada. Além disso, associar o cronograma com a limpeza por áreas da FlyLady garante um trabalho mínimo diário, em contraste com o dia da faxina, no qual sacrificamos um dia de folga para limpar a casa inteira, ficamos exaustos e a limpeza dura um dia.

Sugiro, então, criar diversos cronogramas:

- Diário
- Semanal
- Quinzenal

- Mensal
- Sazonal
- Semestral
- Anual

Você gerenciará as tarefas de cada cronograma da mesma maneira que as demais. Lembre-se de que uma das minhas recomendações é ter somente um sistema de organização, e não um para cada área da vida.

Outro ponto importante é que, aqui, estou falando de cronogramas de limpeza e manutenção da casa, mas todas as suas tarefas de rotina ligadas a trabalho, família, cuidados pessoais e outras podem entrar nos períodos listados acima. Isso ajuda a ter uma visão anual do que deve ser feito, distribuindo as tarefas ao longo de meses, semanas e dias.

CRONOGRAMA DIÁRIO

No cronograma diário você listará as tarefas que precisa realmente fazer todos os dias. Não se trata da lista ideal, mas das tarefas essenciais – aquelas que, se você não fizer, a casa cai. Geralmente são tarefas bem comuns, como arrumar a cama, lavar a louça, trocar as lixeiras, limpar a pia do banheiro, separar a roupa suja, destralhar a casa em quinze minutos etc. Que tal esboçar um primeiro cronograma para já ir se acostumando?

Casa em ordem, mente sã   161

Meu cronograma diário

CRONOGRAMA SEMANAL

Existem determinadas tarefas que devem ser feitas somente uma vez por semana, como fazer compras no supermercado, planejar o menu semanal e limpar o fogão. A melhor maneira de identificar a frequência de cada tarefa é examinar a lista de limpeza detalhada que você deve criar para cada cômodo, de acordo com as áreas. Ao criar a lista de limpeza detalhada da cozinha (por exemplo), você pode se deparar com vinte tarefas. Cada uma delas deve ser realizada com determinada frequência. Eu não preciso limpar o freezer com a mesma frequência com a qual eu limpo a pia, por exemplo. Assim, as listas de limpeza detalhadas são a melhor fonte para determinar a frequência das tarefas, e só você pode saber de quanto em quanto tempo cada tarefa deve ser realizada.

Outra maneira de trabalhar o cronograma semanal é estabelecer tarefas para cada dia específico. Ou seja, toda segunda é dia de fazer isso e aquilo; toda terça é dia de fazer aquilo outro, e por aí vai. As duas opções são úteis – escolha aquela que for melhor para você. Por exemplo:

Segunda-feira

1. Jogar fora alimentos vencidos (inclusive os que estão na geladeira).
2. Fazer uma lista de compras para a próxima ida ao supermercado.
3. Ir ao mercado.
4. Cuidar das plantas.

5   Um momento para abençoar o lar.
6   Pagar contas pela internet.

Terça-feira

1   Colocar o lixo para fora (verifique os dias de coleta).
2   Varrer a sala e os banheiros.
3   Passar um pano úmido no chão da cozinha, da sala e dos banheiros.
4   Tirar o pó da mesa do computador.
5   Trocar as toalhas de rosto do banheiro.

Quarta-feira

1   Varrer os quartos.
2   Passar um pano úmido no chão dos quartos.
3   Colocar roupa para lavar.
4   Passar um pano limpo na porta da geladeira.
5   Tirar a tralha de cima dos balcões da cozinha.

Quinta-feira

1   Sacudir os tapetes e bater os capachos.
2   Limpar a área de serviço.
3   Limpar os banheiros.
4   Resolver pendências financeiras na rua (depósitos, saques etc.).

Sexta-feira

1 Trocar a roupa de cama.
2 Trocar as toalhas de banho.
3 Trocar as toalhas de rosto do banheiro.

Sábado

1 Tirar o pó dos móveis.
2 Varrer a casa inteira.
3 Colocar ra oupa para lavar.

Domingo

1 Limpar dentro do micro-ondas.
2 Limpar o fogão.
3 Passar aspirador pela casa.
4 Definir o cardápio semanal.

Agora é a sua vez de criar o esboço do seu cronograma semanal:

Segunda-feira

Terça-feira

Quarta-feira

Quinta-feira

Sexta-feira

Sábado

Domingo

CRONOGRAMAS QUINZENAL, MENSAL, SAZONAL, SEMESTRAL E ANUAL

Existem tarefas que não precisam ser realizadas toda semana, mas em períodos maiores. Apesar de os cronogramas diário e semanal estabelecerem o controle do *rush*, esses outros cronogramas não devem ser esquecidos. Há tarefas muito importantes que precisamos fazer poucas vezes ao longo do ano (se comparadas às semanais e diárias), mas que são igualmente necessárias. Quer um exemplo? Limpar os enfeites de Natal, comprar presente do Dia das Mães, doar roupas, limpar os cristais, e por aí vai...

Além disso, há uma magia que deve ser aplicada em todas as residências: delegar tarefas. Se você não mora sozinho, não deve fazer tudo sozinho. É importante saber delegar e não se sentir culpado por isso.

Atitudes simples para aliviar o estresse

- Limpe quando estiver sujo. Pare de perder tempo no seu dia a dia limpando a casa quando não precisa.
- Simplifique a alimentação da sua família. Não precisa fazer três acompanhamentos todos os dias. Prepare alimentos com antecedência, se puder. Congele. Use alimentos frescos e crus para não precisar cozinhá-los.
- Deixe um bloco de notas e uma caneta na cozinha para ir anotando o que precisa comprar. Quando for ao mercado, compre somente o que estiver na lista.
- Cuide da casa em equipe. Se três pessoas moram na casa, não existe motivo para somente uma delas cuidar de tudo. Se houver divisão, não fica pesado para ninguém.

- Tenha menos coisas. Todos os dias, passe com uma sacolinha de lixo pela casa e separe o que for lixo.
- Não compre coisas durante algum tempo. Existem coisas lindas, mas quem disse que precisamos tê-las? Não precisa comprar: fotografe-as e guarde com você. Quanto mais coisas, mais trabalho para limpar e menos espaço em casa.
- Otimize seu tempo. Se estiver assistindo televisão, aproveite para organizar aquela gaveta de meias ou dobrar a roupa que recolheu do varal. Quando terminar de escovar os dentes, dê uma geral na pia do banheiro. Enquanto estiver tomando banho, esfregue os vidros do box. Sempre que puder fazer alguma coisa, faça!
- Planeje um menu semanal. Como já vimos, o menu semanal é ótimo para evitar ir ao mercado diversas vezes durante a semana ou passar horas pensando no que servir para o jantar.
- Tenha uma rotina de lavanderia. Assim como você planejará o que comer durante uma semana inteira, também pode organizar uma rotina de lavanderia para não deixar que nada se acumule.
- Tenha uma rotina diária de limpeza e arrumação. Distribua essas tarefas ao longo da semana, em vez de deixar para fazer tudo no mesmo dia. Com quinze minutos aqui e outros quinze ali, você perderá menos tempo no fim de semana e terá uma casa minimamente limpa sempre.
- Tenha um cantinho do café na cozinha, onde devem ficar as canecas, a cafeteira, o pote de café, o adoçante e o açúcar etc. Facilita ter tudo perto. Aplique isso nos outros cômodos também: os controles ficam perto dos aparelhos de televisão e DVD; fios, carregadores e *pen-drives*, próximos ao computador etc. Assim, fica mais fácil organizar a casa intuitivamente.

- Sua casa não precisa ser bonita para ser prática. Pense na praticidade e, quando fizer, faça com capricho. Só depois que sua casa estiver prática você pode focar a estética.
- Suje menos e limpe o que sujou. Tome cuidado, mas sem neuras. Tirar o sapato ao entrar em casa é uma tática simples e que faz muita diferença. Explore outras.
- Sempre que sair de um cômodo, leve com você algo que não pertence a ele. Essa dica é muito útil para roupas, brinquedos, louça, livros e muitos outros itens que manuseamos o tempo inteiro e acabamos deixando fora do lugar.
- Tente não perder tempo. Não posso mais me dar o luxo de perder duas horas da minha noite no Facebook, por exemplo. Há dias em que eu realmente termino tudo o que tinha para fazer, meu marido está vendo um filme ou já foi dormir, e posso fazer esse tipo de coisa. Entretanto, como regra, eu nunca faço. Por quê? Porque é tempo perdido. Eu poderia estar estudando algum idioma, adiantando tarefas em casa, escrevendo meu TCC, cuidando do blog etc.!
- Guarde o que usar. Por mais bagunçada que a casa esteja, procure não bagunçar ainda mais. Se usou, guarde. É claro que é mais fácil largar as coisas em qualquer canto, mas tente ser disciplinado nesse sentido, pois só assim você adquirirá o hábito. Se todos os dias você guardar o que usou, a bagunça dificilmente se instaurará em sua casa.
- Curta mais a sua casa. Tenha um cantinho para ler ou simplesmente descansar, onde você possa ficar um pouco todos os dias. Dedique-se a ele. Isso fará diferença em sua rotina.

Assim, atitudes simples podem se revelar grandes aliadas para manter tudo em ordem.

UMA DICA PARA FACILITAR OS CRONOGRAMAS

O que costumamos fazer em casa para dar conta de tudo, no geral, é o seguinte:

1 Fazer um pouco por dia.

Em vez de acumular, passamos a distribuir todas as atividades relacionadas à manutenção da casa ao longo da semana, além de cumprir o estipulado para fazermos diariamente.

As tarefas semanais (suponhamos que sejam catorze) podem ser distribuídas por todos os dias. Se são catorze, significa que podemos fazer duas delas por dia. As tarefas que devem ser feitas com frequência mensal podem ser feitas de acordo com as áreas de cada semana. Isso deixará você com uma média de três a cinco tarefas para fazer todos os dias, além da sua lista diária.

Elas não pesam porque procuramos intercalar tarefas mais chatas e demoradas com tarefas mais leves, além de dividirmos todas elas. A distribuição que recomendo é:

I. Tarefas diárias
II. Uma tarefa mais pesada (semanal ou mensal)
III. Duas tarefas leves (semanal)
IV. Duas tarefas leves (mensal)

2 Planejar o que puder.

Arrumar a bolsa na noite anterior, separar a roupa que usarei, preparar a comida para levar para o trabalho, ter um bom sistema de gerenciamento de contas, planejar um menu semanal, entre outras, são práticas que otimizam nosso cotidiano. Com esse planejamento, certamente economizaremos algumas horas por semana.

Seguindo essas premissas, conseguimos dar conta de tudo numa boa. É cansativo? Claro que, se compararmos essas atividades a tirar um cochilo no sofá, pode ser considerado cansativo. Contudo, se você tem motivações para cuidar da casa (morar em um ambiente saudável, gostoso, que reflita sua personalidade), não vejo nem um pouco como trabalho.

Decoração e praticidade

Acredito que nossa relação com os objetos deve ser resgatada. Sim, sabemos que "da vida não se leva nada" e "o que realmente importa não é material", mas os objetos fazem parte da vida e precisamos manter vários deles conosco – muitas vezes, por um longo período de tempo.

A organização também deve permitir que você se sinta bem com o visual da casa. E isso tem a ver com decoração.

Normalmente, quando pensamos em decoração, imaginamos itens caros, mas não precisa ser assim. Existem diversas maneiras de criar objetos decorativos.

Toda vez que perceber algum objeto fora do lugar porque ele simplesmente não tem um espaço destinado em casa, pergunte-se se ele não poderia ser exposto e utilizado na decoração.

Também guardamos algumas coisas que são importantes para nós, mas que tal incorporá-las à decoração da casa? Muitos decoradores fazem isso com malas antigas, cadeiras, chaleiras, vasos, bonecas etc.

Essa é uma ótima solução de organização! Além disso, alguns objetos podem ser reaproveitados para ajudar a manter os ambientes organizados e práticos:

1 Um porta-guardanapos pode servir como porta-cartas na entrada de casa.

2 Caixinhas de fitas cassete antigas podem ser usadas para guardar fones de ouvido na bolsa.

3 Use rolos de papel higiênico vazios para guardar rolos de papel de presente.

4 Um escorredor de pratos pode ser usado dentro do armário para organizar tampas de potes plásticos, assadeiras etc.

5 Sabe aquelas sapateiras baratas, de pendurar atrás da porta, vendidas em feiras livres? Você pode utilizá-las para guardar produtos de limpeza na área de serviço ou acessórios atrás da porta do banheiro.

6 Use embalagens de ovos vazias ou formas de gelo para guardar miudezas como bijuterias.

7 Latas e embalagens de papelão vazias (como as de leite) podem ser limpas e usadas como porta-lápis, por exemplo.

8 Sabe quando a gente compra um lençol ou jogo de cama e sobram aquelas embalagens plásticas pequenas com zíper de fronhas? Você pode usá-las para guardar roupas íntimas em malas de viagem ou, se tiver várias, use-as para separar o lanche escolar do dia na geladeira, para os seus filhos.

9 Para levar dinheiro, chave e documentos em segurança para a praia, coloque-os dentro de um frasco vazio de protetor solar.

10 Pinte a ponta das suas chaves com esmaltes de cores diferentes para identificar qual é qual.

11 Use embalagens vazias de Pringles® ou similares para guardar espaguete.

12 Porta-talheres de gaveta podem ser usados para organizar as gavetas do escritório ou para guardar maquiagem.

13 Caixas de madeira encontradas nos grandes mercados podem constituir uma estante, se colocadas uma em cima da outra.

14 Coloque um pedaço de fita-crepe em cada fio, próximo à tomada, e escreva a que aparelho aquele fio pertence.

15 Sempre que comprar algo que venha dentro de uma caixa, encape-a e utilize-a como organizador para qualquer fim. As caixas de sapato são excelentes para isso, pois são estreitas. Podem guardar cintos, lenços, biquínis e muitas outras coisas.

16 Cole um prendedor de roupas na parede com fita dupla face e tenha um dispositivo para deixar recados.

17 Use objetos de armazenamento que você já tem em casa: caixas, vasos, canecas etc.

18 Caixas de sabão em pó podem virar porta-revistas. Basta fazer um corte na diagonal, imitando aqueles porta-revistas vendidos em lojas.

Ninguém precisa de dinheiro para se organizar – você só precisa de criatividade! Com essas dicas, a arrumação diária da sua casa pode ficar ainda mais tranquila.

Capítulo 7

Como destralhar sua *checklist* do trabalho

A organização, especialmente no trabalho, vai muito além de pastas devidamente etiquetadas e pautas escritas com antecedência. Isso pode fazer parte de uma vida organizada, mas não existem padrões. Sua organização não tem de ser como a da executiva que tem quatro filhos e vive viajando, então precisa controlar absolutamente tudo para conciliar a agenda de viagens e as reuniões escolares. Além disso, não deve se comparar ao gerente de Logística que trabalha das 9 às 18 horas e volta para casa sem compromissos à noite, ou ao músico que tem horários flexíveis e trabalha de madrugada.

Você já percebeu que, em primeiro lugar, deve entender a importância de se organizar. Não se trata de ser uma pessoa com mania de organização que perderá tempo com processos como etiquetar pastinhas e gavetas, mas de saber que, apesar dos imprevistos e das dificuldades, você está fazendo o melhor que pode.

Também já analisou o seu contexto atual, seus papéis e suas responsabilidades, e como cada um tem (ou não) sua devida importância na vida. Depois, aprendeu como determinar o que deve ser eliminado ou mantido, refletiu sobre seus sonhos e listou objetivos.

Assim, pôde começar a se organizar de fato, ordenando seus compromissos, passando pelas suas listas de tarefas e atividades de rotina.

Por fim, sua casa pode ser um reflexo de quem você é, servindo a você e a sua família, e não o contrário. Agora, é hora de seguir em frente, de manter o que você fez até então e tornar a organização um hábito real, inclusive no trabalho. Afinal, se você já passou pela situação de precisar urgentemente de um documento que se perdeu no meio da pilha de papéis em sua mesa, significa que algumas coisas não estão fluindo como deveriam.

É muito comum que, no trabalho, em algumas épocas (ou sempre) você seja atingido por diversas demandas e fique atolado até o topo. Então, precisamos dar um jeito de nos organizar porque nem sempre podemos nos livrar de certas coisas. E organizar, como já disse algumas vezes aqui, não é colocar coisas dentro de caixas. Não adianta nada guardar o que não deveria estar na nossa mesa quando, na verdade, só estamos deixando de lado para "olhar depois". Provavelmente, o que foi guardado será esquecido e relembrado quando se tornar algo urgente.

Também é importante levar em conta que isso não se aplica apenas ao trabalho remunerado. Tudo aquilo a que você se dedica pode ser considerado um trabalho. Cuidar da casa, estudar um instrumento, escrever etc. É fato que temos grandes responsabilidades e diversos trabalhos, e é preciso conciliá-los para que nossa vida seja plena.

O primeiro passo é conhecer cada uma dessas atividades, estabelecendo rotinas e cortes para facilitar o dia a dia e

Como destralhar sua *checklist* do trabalho

melhorar a produtividade. A regra é clara: se uma pessoa está estressada com o *multitasking* ou com a falta de tempo, é porque precisa tomar uma série de providências pessoais. E somente a própria pessoa pode encontrar essas soluções, pois, para isso, é necessário entender todo o seu contexto de vida e de trabalho, estipulando o que precisa ser feito de acordo com o ânimo que tem. São muitas variáveis e, por isso, não existe uma regra nem há como outros tomarem essas decisões por ela.

A vida é uma só. Dividimos em áreas porque fica mais fácil de entender as necessidades e planejar soluções. Contudo, o que define se a organização vai dar certo ou não é saber priorizar. Se você prioriza a sua saúde, a sua alimentação, o seu sono, o seu conforto, você encontra espaço para eles na sua agenda tão apertada. A vida é assim mesmo: esse Tetris que a gente faz com as 24 horas do dia. Se não definirmos o que for prioridade, ficará tudo extremamente caótico em pouco tempo, e ninguém consegue viver desse jeito.

O trabalho afeta muito a vida pessoal, o ânimo, a disposição e até nossa motivação. Todo mundo quer ser o melhor e confiar plenamente naquilo que faz. Por isso, neste capítulo, conheceremos algumas maneiras de melhorar a rotina e organizar as prioridades, além de dar dicas que ajudarão a aproveitar melhor o tempo que temos para cuidar das demandas profissionais.

A rotina do trabalho

Em um dia comum, suas ações poderão ser divididas em três tipos:

1 Fazer trabalhos predefinidos.

2 Fazer os trabalhos à medida que aparecem.

3 Definir trabalhos.

A maioria das pessoas se concentra no item 2, executando as tarefas à medida que aparecem. Assim, porém, você acaba perdendo o senso de importância e trabalha apenas com demandas urgentes. Talvez, inconscientemente, você acredite que seja mais fácil lidar com urgências do que organizar de fato o trabalho, simplesmente por não saber como fazer isso. É fácil ficar no modo "ocupado" porque, para os outros, parece que você é muito eficiente, mas a realidade é outra: nesse caso, seu trabalho está fora de controle.

As prioridades mudam a cada dia e, sim, muitas vezes precisamos atender a urgências. Quando, porém, elas passam a guiar nosso trabalho diariamente, quem somos nós? Qual o sentido da vida? Executar sem significado? Trabalhar com demandas urgentes é uma prática muito comum. Contudo, o problema não é a desorganização dos projetos, mas deixar de realizar tarefas importantes apenas pelo fato de não serem urgentes. Dessa maneira, você pode prejudicar pessoas, estourar prazos, perder dinheiro e comprometer a qualidade de seu trabalho. E você tem consciência desse problema – por isso, está ansioso e preocupado.

Não é raro culpar as "surpresas", justificando assim o estresse e a baixa produtividade. Porque, afinal, se você não tem controle sobre o seu trabalho, as urgências são a única maneira de mostrar o que você sabe fazer. É mais fácil se manter ocupado do que administrar de fato suas atividades. No fundo, você sabe que é só um jeito de não lidar com aquela pilha de itens pendentes que você não sabe bem como resolver.

Como destralhar sua *checklist* do trabalho

Esse é um cenário frequente no mercado de trabalho porque não somos treinados para gerenciar nosso tempo e nossos projetos. Crescemos deixando veios abertos. Com a maioria das pessoas que trabalha conosco, também é assim. O ciclo se desenvolve com uma rapidez impressionante e, de repente, estamos todos trabalhando no que é urgente.

Quando você desenvolver uma maneira de controlar o trabalho, vai confiar muito mais em suas decisões pessoais, justamente porque o processo envolve uma disciplina que você precisa adquirir em troca de todo o resto. É uma disciplina que beneficia sua tranquilidade.

O legal do método GTD é que nele você tem uma caixa de entrada "que acumula problemas" enquanto você está trabalhando. Você sabe que, na pior das hipóteses, as tarefas estão centralizadas ali, e não perdidas em pensamentos, e-mails não respondidos ou notas autoadesivas na parede de casa. Quando tiver um tempo, você processará as informações aos poucos. Esse "tempo que você perde" é MUITO menor que o tempo desperdiçado executando tarefas sem direcionamento no seu dia a dia. Quando você se organiza, seu sistema se torna confiável e, mesmo que algo teoricamente urgente espere um pouco mais, há a confiança de que você não está tirando o foco do que é importante e, uma hora ou outra, tudo vai sendo concluído – inclusive as urgências. Se, porém, você não tiver esse sistema, como poderá saber o que foi feito ou não?

A questão do foco é irrelevante se você não souber o que precisa fazer. Quando as informações estão disponíveis de maneira prática e fácil, o foco vem naturalmente: você escolhe uma tarefa e a executa. Contudo, para isso, é necessário ter um método, além da disciplina de manter seu sistema atualizado e funcionando.

Assim como as pessoas reclamam das "urgências", se queixam também das interrupções. A verdade é que o mundo não vai parar enquanto você estiver trabalhando. É preciso aprender a se virar. O que não pode é encontrar desculpas para não se organizar e executar as tarefas. OK, talvez a habilidade de "apagar incêndios" seja sua melhor capacidade hoje. Mas será que é mesmo? Às vezes, você simplesmente não experimentou o outro lado.

E quando a internet não está disponível?

Hoje em dia, dependemos demais da internet! Tanto que, quando ficamos sem ela, algumas empresas até dispensam seus funcionários, pois não há o que fazer. Contudo, há algumas coisas que podem ser feitas nesses momentos – e que provavelmente só serão realizadas assim, pois são tarefas que adiamos com frequência. Veja algumas ideias de tarefas para executar quando ficamos sem a bendita (dá para fazer muita coisa!):

1 Destralhe o computador deletando arquivos desnecessários.

2 Organize os arquivos nas pastas corretas.

3 Se não tiver pastas corretas, é um bom momento para criá-las.

4 Crie notas em sua ferramenta de organização – como o Evernote, One Note, Google Drive etc. – utilizando arquivos que estavam em seu computador e delete-os da máquina.

5 Organize suas notas e tags e reveja itens que ficaram parados.

Como destralhar sua *checklist* do trabalho

6 Limpe a sua mesa do escritório.

7 Limpe as gavetas da sua mesa.

8 Tire tudo o que não for absolutamente necessário de sua mesa. Guarde essas coisas em outro lugar, deixando na mesa apenas o que usa diariamente.

9 Faça uma lista de itens que precisa providenciar, como grampos ou notas autoadesivas.

10 Mude seu mural, caso tenha um. Tire informações irrelevantes, atualize com informações novas, coloque uma imagem que inspire, uma frase motivadora, entre outros.

11 Faça telefonemas que estavam pendentes.

12 Depois de fazer as ligações do trabalho, faça ligações pessoais para marcar uma consulta médica, conversar com um amigo com quem não fala há muito tempo etc.

13 Leia um livro relacionado ao seu trabalho. Certamente você tem uma estante na sua sala com um montão deles, mas nunca teve tempo de ler.

14 Treine algum idioma com algum colega.

15 Faça uma lista com seus objetivos de vida.

16 Reflita sobre as suas áreas de foco criando um mapa mental com todas elas.

17 Elabore uma lista com as compras que precisa fazer no supermercado.

18 Crie uma lista com tudo o que precisa fazer e que ainda está na sua cabeça, não no papel. Descarregue!

19 Faça um balanço da sua carreira desde que começou no trabalho atual. O que melhorou? O que mudou? O que ainda pode ser feito? Quais são os desafios?

20 Faça uma sequência de exercícios de alongamento.

21 Converse com seus colegas no corredor. Pergunte em que estão trabalhando no momento.

22 Dê uma volta pela empresa. Pelo *networking*, pela distração e pela atividade física.

23 Beba água (há dias que estamos tão atolados que esquecemos disso).

24 Faça um backup dos seus arquivos.

25 Monte uma lista com sua rotina diária de tarefas essenciais no trabalho e em casa, para revisar e fazer diariamente.

Tenho certeza de que a internet vai voltar antes de você terminar essa lista. E, se não voltar, pelo menos você terá feito esse monte de coisas e otimizado o seu tempo.

Coisas importantes para evitar cair no mal da procrastinação

Quando estamos na correria do trabalho, com tantas cobranças rolando e coisas "chatas" para fazer, podemos cair na procrastinação. Começamos a enrolar, ficamos navegando

Como destralhar sua *checklist* do trabalho

pelas redes sociais, assistindo vídeos motivacionais no YouTube, entre outras atividades sem foco. Quem nunca tiver feito algo assim que atire a primeira pedra. Sempre que você perceber que está procrastinando no trabalho, leia essas dez dicas:

1 Liste todas as tarefas que você tem em mente em uma única caixa de entrada. Não deixe bilhetinhos, notas autoadesivas e papéis espalhados pela mesa de trabalho, em casa ou no carro. Centralize tudo em um só lugar. Por pior que esteja a situação, você sabe que naquele único lugar está tudo o que precisa ser feito.

2 Use suas listas continuamente e confie nelas. Se você acompanhar sempre direitinho, elas serão sua melhor fonte de informação sobre o que você precisa fazer.

3 Certifique-se de que tem tudo o que precisa para começar a trabalhar nas tarefas pendentes. Muitas vezes, procrastinamos alguma ação porque existe um primeiro passo simples, porém chato. Você pode adiar uma revisão, por exemplo, porque ainda precisa baixar o arquivo do e-mail.

4 Garanta que sua lista de tarefas tenha tarefas, e não lembretes como "amanhã fulano enviará relatório X", pois isso não é tarefa. Tarefa é o que você fará com o relatório depois que recebê-lo.

5 Quando finalizar uma reunião, pergunte quais são os próximos passos. Se você for o mediador, defina você mesmo esses passos. Nunca saia de uma reunião sem essas definições, senão de nada terá adiantado.

6 Pare de anotar na agenda tarefas para fazer hoje, amanhã, e por aí vai. Tarefas devem entrar na agenda somente quando necessário. Por exemplo: você precisa arrumar a mala até um dia antes de viajar, impreterivelmente! Não existe situação mais frustrante que estabelecer um dia para determinada tarefa (que não precisava de data certa) e ter de ficar jogando a coitada de um dia para o outro porque você nunca consegue cumprir prazos. E isso acontece por um motivo: esses prazos não são reais! Então, pare de criá-los. Estabelecendo prazos somente para aquilo que realmente precisa deles, você passa a confiar mais no seu sistema. Se alguma tarefa está naquele dia em questão, é porque realmente precisa ser feita naquele dia e em nenhum outro.

7 Sempre que não conseguir dar andamento a uma tarefa, desmembre-a em tarefas menores.

8 Se uma tarefa levar menos de dois minutos para ser feita, faça-a imediatamente. Não adie o que for rápido, pois essa pequena tarefa pode brecar todo o resto.

9 Revise suas listas de tarefas semanalmente. Não precisa revisar todos os dias, mas procure não passar mais de uma semana sem revê-las. A ideia é não perder tempo com isso nem deixar faltar nada.

10 Sempre reveja seus objetivos de longo, médio e curto prazo para ter perspectiva. Às vezes, para trazer a motivação de volta, tudo o que precisamos é de uma visão mais abrangente. Faça isso!

E você, o que costuma fazer quando sente que a procrastinação está tomando conta no trabalho? Escreva, como maneira de avaliar onde estão os pontos que lhe fazem sair do foco.

_____
_____
_____
_____
_____
_____
_____
_____
_____
_____
_____
_____

Afinal, por que procrastinamos? Porque nossas tarefas não estão claras para nós. Simples assim.

Se você está adiando uma tarefa, divida-a em mil pedacinhos, contanto que sejam passos fáceis de concluir – daqueles que talvez você nem perceba que esteja fazendo.

Precisa estender a roupa no varal? Que chato... vou deixar para amanhã... aí a roupa fica mofada ou com cheiro desagradável e precisará ser lavada de novo. Então, sugiro que pense que primeiro você precisa simplesmente tirar a roupa da máquina e colocar em uma cesta de roupas limpas. Se você pensou nisso antes, a cesta já pode estar em cima da máquina. Se não, providenciar a cesta pode ser o primeiro passo.

Aí você vai lavar a louça e, quando voltar, coloca a roupa no cesto. Depois vai fazer comida.

Acabou a comida? Passou pela área de serviço? Pendure as camisetas.

Passou de novo? Pendure as calças, e assim por diante.

Aos poucos, todas as roupas estarão penduradas.

Esse exemplo doméstico parece bobo? Experimente aplicá-lo no trabalho.

Precisa montar uma apresentação para a reunião de semana que vem? Crie o arquivo no Power Point e nomeie.

Depois, abra o arquivo e coloque o título na capa. Aos poucos, faça um índice ou mais um slide, uma coisa de cada vez. Não pense no produto final, mas concentre-se em cada etapa.

Há uma frase famosa que diz: "Como devorar um elefante? Pedacinho por pedacinho". Ninguém consegue engolir o elefante inteiro de uma vez.

E há outra também: "Toda grande viagem começa com um simples passo". É basicamente isso.

Muitas vezes, para parar de procrastinar, basta dar um pequeno passo. E para dar esse passo, ele precisa ser simples, o mais simples possível, de modo que fazê-lo seja tão fácil quanto deixá-lo de lado.

Como destralhar sua *checklist* do trabalho

Guia rápido para se organizar no trabalho

Nossa rotina no trabalho é regrada pela instantaneidade e pela agilidade tecnológicas. Então, ser organizado deixou de ser questão de personalidade, mas uma necessidade para manter o emprego ou empreender mais. Se um empregador tiver de se decidir entre um profissional organizado e aquele que sempre perde prazos, certamente o desorganizado vai embora. Esse é um exemplo drástico de como a desorganização pode prejudicar nossa vida profissional.

Contudo, como você já descobriu, não precisa ser obcecado por organização! O importante é ter foco e fazer o mínimo para manter o dia a dia em ordem. Se estiver preocupado, veja algumas dicas que você pode incorporar à sua rotina:

- Organize a mesa do escritório e dê um fim na papelada.
- Conheça o método GTD para gerenciar projetos tanto pessoais quanto profissionais.
- Utilize a agenda do Google para registrar suas atividades e ter controle sobre o seu tempo.
- Execute reuniões mais eficientes.
- Organize sua vida no computador.
- Mantenha o astral alto durante todo o dia.
- Organize sua caixa de entrada para parar de ter medo do seu e-mail.
- Simplifique o que puder.

Organize seu trabalho minimamente para conseguir executar tarefas sem postergar eternamente e ter controle sobre seus projetos.

Como você costuma se organizar no dia a dia? O que precisa manter ou reforçar em sua rotina?

LIBERE A TRALHA DA SUA ESCRIVANINHA EM QUATRO PASSOS

1 **Limpe a papelada.** Se sua mesa está cheia de pilhas de papel, guarde-as em um lugar em que fiquem longe de seus olhos e *comprometa-se* a organizá-la aos poucos. A melhor maneira de fazer isso é instalando gabinetes embaixo da mesa.

2 Vire wireless. Cabos bagunçam demais. Tenha tudo o que você puder ter sem fio. Teclados e mouses, pelo menos, são fáceis de conseguir.

3 Use prateleiras. A maioria das mesas fica de frente para uma parede. Use o espaço instalando prateleiras, providenciando mais espaço para se organizar, sem precisar deixar tudo o que precisa ter à mão somente sobre a mesa.

4 Providencie uma luminária decente. Muita gente trabalha à noite. Tenha uma luminária em sua mesa, mas que não ocupe muito espaço e, se possível, que seja bonita, porque ninguém merece trabalhar olhando para uma luminária feia.

Tenho certeza de que no seu próximo dia de trabalho você já estará determinado a acabar de vez com o caos instalado na sua mesa.

Capítulo 8

1, 2, 3: é só começar!

Imagine que, neste momento, você está em um barco que navega calmamente por um mar azul, com o horizonte à frente e um céu claro e limpo, ao som das gaivotas, que voam metros acima sobre sua cabeça.

Sua mente está calma como a água. Você tem sua agenda em ordem. Sabe que, amanhã, quando acordar, tudo será feito sem pressa e como tem de ser. No trabalho, você se concentrará naquilo que realmente importa, com tempo de sobra para os imprevistos que aparecerem. Em casa, você tem tempo para a família ou para fazer o que tiver vontade. Nada está fora do lugar. Você pode planejar e correr atrás dos seus sonhos. Não há absolutamente nada de que você não tenha conhecimento em sua vida, nenhum problema que perturbe sua cabeça ou lembretes que não podem ser esquecidos. Tudo está organizado em um sistema que você montou de acordo com as suas necessidades. Você está em paz.

Falando assim, até parece um sonho. Contudo, ver-se nessa condição é possível. Você está terminando agora a leitura deste livro e muito provavelmente estará até mesmo ansioso para colocar em prática o que aprendeu aqui. No entanto, é fundamental lembrar-se de que as soluções efetivas nunca acontecem da noite para o dia ou sem esforço de verdade.

Continuar como está é sempre mais fácil. Somos resistentes a mudanças e, muitas vezes, podemos questioná-las, pois achamos que não vale a pena investir nelas. Se for o caso, recomendo que leia novamente o primeiro capítulo deste livro, que trata dos benefícios da organização. Quero que você tente recordar por que comprou este livro, em primeiro lugar. Se hoje você não se sente à vontade com a vida que leva, precisa fazer mudanças.

Ser uma pessoa organizada nos ajuda a conquistar realização pessoal e profissional, porque vivemos uma vida coerente com o que somos, de acordo com nosso caráter e nossos valores, desenvolvendo parâmetros pessoais para lidar com as mais diversas solicitações do dia a dia.

Temos somente 24 horas por dia e 168 horas por semana para dar conta de tudo. Não é fácil. Ou aprendemos a priorizar ou delegamos. Precisamos aprender a abrir mão de atividades que não fazem mais sentido para nós. Isso serve tanto para a pessoa que não tem mais tempo de cuidar da limpeza da própria casa e contrata uma diarista quanto para o gerente que, estafado, contrata um assistente para conseguir se dedicar ao que realmente importa. Nossas prioridades são individuais. Ninguém pode estabelecê-las por mim, por você, pelo seu filho, pelo seu chefe, pelo seu amigo ou vizinho. E, por isso mesmo, delas nasce a motivação, que é justamente isso: ter um motivo para agir. E isso não é possível terceirizar.

Confesso que já tive vontade de ser minimalista ao extremo, mas não sou assim. Gosto de objetos. Tenho as minhas tralhas acumuladas também. Livros, por exemplo, tenho muitos e sempre terei. As pessoas costumam dizer que lemos os livros e depois eles ficam empoeirando na estante, mas isso não acontece comigo, pois os estou sempre relendo. Costumo comprar somente os exemplares que realmente quero ter, como se estivesse formando um legado intelectual. Livros que quero ler, mas não pretendo manter, adquiro em formato digital, pego emprestado, alugo na biblioteca. Os livros são a minha exceção: com o restante das coisas, tenho uma relação bem minimalista.

O que aprendi sobre minimalismo é que ele significa focar o mínimo necessário para a *minha* vida, ao contrário de estabelecer uma regra para ditar que "minimalismo é ter uma casa vazia" ou "minimalismo é ter somente cem objetos em casa".

Assim, quando mudamos para o nosso apartamento, fui bastante criteriosa nas compras e, hoje, penso até que comprei coisas demais. Já doei um balde, por exemplo, pois não o usei durante seis meses e achei besteira mantê-lo. Acabei comprando mais potes de cozinha, porque subestimei e comprei poucos. Temos dois jogos de pratos: um para uso diário e outro mais bonitinho, que usamos raramente, quando queremos fazer um agrado, mas o jogo básico bastaria, certamente. Copos, usamos dois, e nosso filho acabou ganhando um monte deles com desenhos.

Quando penso em comprar alguma coisa para a casa, fico me perguntando se realmente vale a pena. Onde vou guardar? Não vai dar trabalho para limpar? Não é melhor poupar dinheiro?

O engraçado é que eu não penso assim para uma série de outras coisas, desde que eu esteja de fato precisando.

Quando vejo uma casa extremamente minimalista, não me identifico, mas entendo. De fato, se pararmos para pensar, não precisamos da maioria das coisas que possuímos. Entretanto, a gente não quer só comida – *a gente quer comida, diversão e arte*, já diziam os Titãs. Os objetos fazem parte de quem somos e nos ajudam a construir nossa história.

Por isso, quando falo aqui em destralhar a casa, significa atribuir valor a esses objetos importantes porque, quando guardamos tralha, não conseguimos valorizar o que temos e gostamos de verdade. E não estou falando de relacionamentos! Estou falando de objetos mesmo, daquele colar que a sua avó lhe deu de presente quando você tinha 6 anos e que está misturado com outros colares inutilizados que você comprou e raramente usou, do quadro que a sua namorada lhe trouxe de presente de uma viagem que ela fez para Barcelona e que você deixou encostado ao lado da estante, entre tantos outros exemplos.

A tendência a acumular faz parte dos hábitos naturais do ser humano e da necessidade de proteção contra "o inverno que está por vir", guardando as provisões para que nunca faltem. Hoje, porém, vivemos em um tempo diferente, em que os lares são menores e o volume de objetos aumentou consideravelmente. Se não tivermos um critério, a casa fatalmente ficará bagunçada e cheia de coisas. Precisamos tomar o controle da situação!

Como, porém, fazer isso? Oras, descobrindo o que é essencial para cada um. Eu posso dizer aqui que tenho só quatro pratos em casa, mas, se você adora receber seus amigos, é óbvio que isso não se aplica a você. Em contrapartida, você pode ter meia dúzia de livros e achar um absurdo que uma pessoa possua mais de quinhentos exemplares ocupando espaço em casa, e é assim que as coisas são! Cada pessoa tem as suas necessidades, as suas vontades, os seus apegos, até. A organização tem muito a ver com motivação, que só funciona se tivermos uma razão muito forte para nos engajar em qualquer coisa que seja. É como alguém que deseja passar em um concurso público: para isso, é preciso estudar.

Se essa pessoa simplesmente quer passar em um concurso porque acredita que seja uma boa opção, mas não tem um motivo real, fica difícil manter o foco nos estudos.

Do mesmo modo, se você quer se organizar, mas não consegue encontrar motivação, é porque você não tem um motivo real, muito menos um objetivo bem definido.

Por isso, se você hoje se sente sem motivação, peço que defina os seguintes itens:

Qual é o seu objetivo? Por que você precisa de motivação?

Que motivo desencadeou a busca por esse objetivo?

Bem, no caso do concurso público, seu objetivo pode ser simplesmente ter tempo para estudar diariamente. Contudo, qual o motivo? Bem, você tem uma família e gostaria de ter estabilidade financeira para sustentá-la sem problemas. Esse é o seu motivo, e dele nasce a motivação.

Toda vez que você estiver com preguiça de estudar, lembre-se do seu objetivo e do motivo que o levou até ele. Acredite em mim: será muito difícil não estudar tendo isso em mente.

Entra aqui a questão da boa vontade também? É claro que sim, como tudo na vida. A boa vontade, porém, não funciona se você não tiver um real motivo para fazer as coisas.

Se, por exemplo, sua casa pode estar um caos e mesmo assim seu motivo não é forte o suficiente para arrumá-la?

Ora, talvez porque suas prioridades realmente sejam outras. Então esqueça o assunto e toque sua vida. O que não é legal é você ter um motivo real ("meus filhos encontraram um rato na despensa, no meio da bagunça" ou "perco quarenta minutos todos os dias de manhã para encontrar uma roupa limpa") e mesmo assim não tomar uma providência.

Sempre que pensar em não fazer alguma atividade ou tarefa relacionada ao objetivo que você definiu anteriormente, lembre-se do seu motivo, que deve ser forte e só você pode defini-lo. Se o motivo for certeiro, sua motivação será natural, sem deixar chance para a procrastinação.

Também vale a pena sentir um pouco de gratidão pela vida. Não se trata de buscar o tempo todo viver de outro jeito, pois já temos muitas coisas boas para agradecer.

Todos os dias podem ser especiais

Acho engraçado como o domingo não está nem na metade e no Facebook já começam a pipocar imagens que lamentam a segunda-feira, geralmente com a carinha de um cachorro exausto ou o Garfield (representante mor do ódio às segundas) fazendo qualquer reclamação sobre a semana que começa. Por volta da quarta-feira, começa a ser feita a contagem regressiva para sexta-feira e, na sexta, vemos um verdadeiro carnaval comemorativo.

Entendo esses sentimentos. Também adoro o fim de semana, quando posso passar mais tempo com minha família, descansar um pouco, passear, fazer outras atividades. No entanto, desde que comecei a trabalhar, aprendi a identificar certos sinais de desânimo com relação ao que fazemos da vida, geralmente pelo jeito como nos comportamos quando chega a segunda-feira.

Se você costuma ficar desanimado com a chegada da segunda, eis algumas dicas para tentar mudar a perspectiva:

1 Veja a segunda-feira como o primeiro dos cinco dias em que você precisa resolver projetos. "Thais, qual é a novidade?". Ora, o simples fato de você organizar suas tarefas para cinco dias seguidos, sendo a segunda o primeiro deles, já muda um pouco a forma de encarar a segunda-feira. Vamos combinar? Que levante a mão quem nunca acordou atrasado, cansado, desanimado e se arrastou até o trabalho em uma segunda-feira. Passou o dia todo bebendo café, chegou em casa exausto, tomou banho, comeu qualquer besteira e foi dormir. Vai empurrando os dias com a barriga até comemorar a chegada de sexta e o fim de semana de novo. É assim que você gostaria de passar o resto dos seus dias? Sejamos francos: não importa a nossa profissão, precisamos encarar o dia a dia. Se você passa a semana inteira desejando a sexta-feira, talvez este seja um sinal muito importante para que você mude algumas coisas em sua vida. Sobreviver desse jeito é um desperdício de vida e tanto.

2 Tenha objetivos de longo, médio e curto prazo. Você pode dizer: "Thais, você já falou isso", porém repito, porque se trata de algo muito importante. Os objetivos dão foco ao cotidiano. Se você souber que pretende comprar um carro daqui a seis meses, vai ficar mais fácil economizar dinheiro, por exemplo. Caso você esteja estagiando em uma empresa há três meses, mas vive cansado, pense no motivo pelo qual está fazendo isso. Você sabe que é bom para a sua carreira fazer esse estágio, que é bom ganhar o próprio dinheiro (mesmo que mínimo), que aprenderá muitas coisas e que essa experiência vai sempre constar do seu currículo.

Ter tudo isso em mente nos permite encarar a situação de uma maneira um pouco mais leve. Se estiver extremamente cansativo ou desanimador, você pode estabelecer prazos como: "preciso ficar um ano neste estágio e depois procurarei outra coisa" ou "ficarei neste emprego até terminar minha pós-graduação" ou "aguentarei esse chefe só até terminar meu curso de inglês". Ter objetivos é essencial para que você não perca tempo na vida fazendo algo que não lhe acrescentará nada, e esse deve ser o seu parâmetro.

3 Pare de pensar só em trabalho. Nem todo mundo tem o emprego dos sonhos, mas nem por isso devemos resumir nossa vida ao trabalho. Se o seu trabalho não o motiva o suficiente ou deixa você cansado – enfim, sabemos os motivos que nos fazem odiar as segundas-feiras –, valorize mais as outras atividades da sua vida, aquilo que você gosta de fazer. De repente, a segunda-feira pode ser o dia em que você fará um artesanato novo em casa, por exemplo, ou irá ao cinema com uma amiga. Procure encontrar motivações além do trabalho.

Algumas pessoas fazem da vida seu trabalho porque realmente amam o que fazem e se sentem completas dessa maneira. Essas pessoas, no entanto, não odeiam as segundas-feiras. Acredito que o seu objetivo deva ser parecido com o delas, independentemente do trabalho que você executa: escritório, agência de publicidade, consultório médico, clínica de estética, faxina, dona de casa, artesanato, costura, esportes, estudos. Seja qual for sua atividade, valorize a vida e busque fazer o que realmente ama. Pode demorar, pode ser rápido, mas tenha um ideal. Transforme esse ideal em objetivos, com metas e prazos. Viver com significado é o jeito mais fácil e verdadeiro de encarar a semana e chegar naquele estado de "nossa, mas já é sexta?" em que você desejaria continuar trabalhando mais.

Mesmo o trabalho mais chato pode ser visto de outra maneira se tiver um significado para você. Busque esse significado! Todos os dias quando acordamos temos a oportunidade de fazer algo extraordinário em nossa vida, nem que seja somente celebrar o fato de estarmos vivos e abertos para mil possibilidades! Eu queria viver uma vida em que todos os dias fossem extraordinários, mas a realidade é que eles costumam ser comuns. Ser comum não é ruim, no entanto. O comum pode ser visto como especial, se tomarmos a atitude certa.

Acordar cedo para trabalhar, por exemplo. Sei que é costume reclamar por acordar cedo. Que tal, porém, começar a ver esse hábito de maneira diferente? Como? Basta pensarmos que estamos acordando cedo porque estamos vivos, só para começar. Temos a oportunidade de trabalhar, de pagar nossas contas, de garantir nosso sustento.

Levar o cachorro para passear pode ser enfadonho ou uma excelente oportunidade para fazer um pouco de atividade física diariamente, cuidando da saúde.

A pausa de uma hora ou mais no horário de almoço pode ser uma excelente oportunidade para comer com calma, fechar os olhos, relaxar, ouvir música, pensar na vida, dar uma volta, respirar profundamente, ou mesmo dar risada com os colegas de trabalho.

Se, ao chegar em casa, você se sentir cansado, agradeça por ter vivido mais um dia, por ter tido todas as oportunidades que teve durante esse dia que ainda nem terminou. Tome um banho, vista uma roupa confortável, passe momentos agradáveis com seus familiares. Descanse, curta sua casa, leia um livro, veja um filme.

Quando for lavar a louça, pense que está fazendo isso porque teve o que comer. Quando limpar o fogão, pense que teve o que cozinhar. Quando lavar a roupa, pense que tem roupas em quantidade suficiente para se vestir todos os dias. Faça todas as tarefas de casa sem reclamar, pois você ao menos tem uma casa para limpar.

Todos nós temos dificuldades e problemas, mas poderia ser pior. Vivemos em um mundo com uma desigualdade imensa, onde pessoas morrem de fome, frio, sede, maus-tratos. Ter a oportunidade de acordar todos os dias dentro de condições quase perfeitas não nos dá o direito de reclamar de pequenos problemas cotidianos. Eu sei que não é fácil, pois eu mesma faço isso muitas vezes, mas precisamos ter essa postura um pouco mais grata por tudo, procurando ver a rotina de outra maneira.

Se os dias são comuns, significa que temos tranquilidade. Você já pensou nisso? Já valorizou isso?

Não há problemas em dividir

Sempre fui uma pessoa muito orgulhosa por fazer as coisas sozinha. Não preciso de um marceneiro porque gosto de mexer com madeira e pregos. Não preciso de uma faxineira porque gosto de limpar a casa. Não preciso pagar uma costureira para fazer a barra da minha calça nova, pois eu mesma farei isso um dia.

Fazer tudo o que puder em casa é maravilhoso porque, além de desenvolver habilidades, também é uma distração, sem falar na economia. Às vezes, porém, pode chegar um momento em que começaremos a surtar um pouco com a quantidade de coisas a fazer. Se esse momento chegar, aprenda a delegar.

Delegar é passar a responsabilidade para outra pessoa, em casa ou no trabalho.

Uma maneira de saber se vale a pena delegar atividades é calcular o valor da sua hora. Se você ganha 20 reais por hora e trabalha oito horas por dia, isso equivale a 160 reais por dia. Se você passa seu sábado inteiro fazendo faxina e isso está impactando outras atividades que deveriam ser prioridade, é preciso considerar a ajuda de uma diarista para a qual você pagará 100 reais, economizando, assim, 60 reais. Esse é um exemplo pífio, mas que deixa claro o conselho.

Outro dia, um colega passou praticamente o dia inteiro resolvendo um problema com seu banco ao telefone. Perguntei se outra pessoa não poderia fazer aquilo, ao que ele respondeu: "Ninguém ia querer fazer isso". Eu respondi: "Claro. De graça, não. Mas você tentou pagar alguém?". Ele ficou surpreso com a sugestão e argumentou que não tinha dinheiro para pagar. Eu disse: "Oras, se você ganha 200 reais por dia de trabalho, na verdade você perdeu esse dinheiro, uma vez que passou o dia todo ao telefone. Se tivesse oferecido 50 reais para que alguém resolvesse esse problema para você, estaria ajudando outra pessoa e teria um dia produtivo, sem se estressar com um problema pequeno". Então ele respondeu que nunca havia pensado nisso antes. E não pensamos mesmo.

É legal fazer tudo. De verdade. Também sempre fui dessas. Entretanto, chega um momento na vida em que algumas atividades deixam de se tornar prazerosas e se transformam em grandes estorvos. Então percebemos que não dá para cuidar de tudo o que gostaríamos e da maneira que gostaríamos. Por isso, algumas pessoas contratam empregadas domésticas, secretárias, assistentes, administradoras e outras pessoas responsáveis por serviços específicos. Delegar faz parte da vida. O que não pode é deixar de cuidar de assuntos realmente importantes por causa de assuntos triviais, que poderiam ser resolvidos por outras pessoas.

Delegar é uma forma de começar a empreender. Se você tem essa ideia profissional, pode ser um bom começo. Veja a pessoa para a qual você delega atribuições como alguém que você está contratando. Se você fosse presidente de uma grande empresa, acha que cuidaria de tudo? Não, então encare como uma decisão normal. Não se cobre. Delegue e abra espaço na sua vida para o que realmente importa – nem que seja mais horas de lazer e descanso, pois às vezes isso é tão importante quanto todo o resto.

Por que eu gosto tanto de organizar as coisas?

Há algum tempo eu também estava me perguntando por que, afinal, eu gosto de organizar as coisas.

Alguns anos atrás, resolvi simplesmente abrir mão dessa organização. Não que tenha me tornado bagunceira, mas deixei as rotinas de lado e parei de pensar em objetivos. Queria viver um dia de cada vez, sem pensar no futuro. O resultado? Pedi demissão de um emprego que não me acrescentava mais nada, comecei uma faculdade e consegui tempo para ler muito, estudar e pensar em mim.

Tudo isso é muito bonito, mas, na prática, significou ficar desempregada, iniciar uma faculdade que teria de trancar quando começasse a trabalhar (porque não tinha mais tempo) e deixar de guardar dinheiro para uma situação que ficou complicada mais tarde, quando meu pai ficou doente.

Desempregada em si eu não fiquei, porque fazia trabalhos *freelancers* diversos e trabalhava em casa, mas eu realmente estava sem emprego, sem um salário fixo e deixei de contribuir com o INSS. Nada de garantias, décimo terceiro etc. Além disso, a faculdade era paga, e eu precisava comprar livros e pagar pelo transporte. Apesar de ter dinheiro guardado, não preciso dizer que ele logo começou a faltar.

Entretanto, o mais engraçado de tudo foi o seguinte: eu me sentia perdida. Foi um momento de descobertas, sem dúvidas, mas, sem saber para onde iria, eu me sentia até certo ponto depressiva. Foi difícil. Quando percebi que viver sem objetivos estava me deixando naquele estado, resolvi voltar a ser como sempre fui, e as coisas começaram a entrar nos eixos.

Refleti longamente sobre o meu papel como ser humano vivo neste planeta e percebi que queria algumas coisas. Queria ser mãe. Queria me casar. Queria voltar a ter um emprego, pois adoro a minha profissão. Quando defini esses objetivos, no mesmo ano estava em um bom emprego na minha área, meu namorado (atual marido) e eu passamos a morar juntos e engravidei. É incrível como a lei da atração exerce influência sobre nós. Basta ter foco.

A partir de então, decidi que não viveria mais sem objetivos porque eu preciso deles. Nem que sejam de curto prazo, mas preciso, porque eles são o meu norte. Isso não significa que eu já saiba o que quero fazer daqui a cinquenta anos (talvez algumas coisas, sim), mas que eu consegui determinar o que espero de algumas áreas da vida.

De nenhuma maneira estou dizendo que esse é o jeito certo de fazer as coisas e viver a vida, mesmo porque não existe fórmula correta para isso, como sabemos. É apenas como eu me sinto e essa é a experiência que posso passar para você.

Eu me organizo porque sei que, assim, consigo fazer as coisas acontecerem. Trabalho bem com metas, listinhas, planejamento. A organização tem muito disso, de garantirmos que não estamos perdendo tempo na vida. Tenho pavor de pensar em chegar daqui a cinco anos, por exemplo, e descobrir que, por não ter começado a pensar em algo com antecedência, acabei prejudicando minha vida. Como a compra de um carro. Se eu tivesse me informado melhor, poderia ter feito um consórcio há uns três anos e ter comprado o carro mais barato do que com o financiamento atual. Ou você pode perceber, aos 30 anos, que poderia ter guardado 200 reais por mês para dar entrada em um apartamento dez anos mais tarde. Enfim, a organização permite que nos programemos, otimizando todo o processo, embora algumas coisas surjam apenas de experiências de vida.

O fato é que a organização me mostra que praticamente tudo é possível! Se eu quiser morar na Itália quando tiver 50 anos, vou me planejar para isso! Se eu quiser fazer faculdade daqui a três anos, basta planejar. Se eu quiser abrir um negócio, igualmente.

Também costumo ter um pensamento positivo e proativo com relação à minha vida. Não consigo imaginar nada que eu não possa fazer porque todos os seres humanos são iguais e têm as mesmas possibilidades. Conheço casos de pessoas que não tinham nada e ficaram milionárias, assim como gente muito rica que perdeu tudo. Já vi pessoas que estavam à beira da morte viverem mais trinta anos porque mudaram suas atitudes. Então, nunca me conformo com situações porque o poder de mudança é algo que todos nós temos.

Tenho uma amiga que, sempre que me vê estudando, diz: "Não sei como você aguenta. Eu não gosto de estudar e nunca conseguiria fazer tal coisa". Ao que eu respondo: "Poxa, se você decidisse começar a gostar, acabaria dando um jeito".

Alguns professores dizem: "Se você não gosta da matéria X, passe a amá-la a partir de hoje!". Quando modificamos nossas atitudes, o resto começa a mudar.

Eu me organizo porque valorizo meu tempo na Terra, porque quero aproveitá-lo bem, fazer tudo o que desejo e o que acredito ser o melhor para as pessoas que amo e com as quais me preocupo. A ideia de "perder tempo" me apavora, pois nunca sabemos o dia em que vamos morrer, e não quero concluir que deveria ter feito isso ou aquilo quando esse dia chegar. Não gosto de deixar meus sonhos para depois, e gostaria que você fizesse o mesmo.

Confira algumas dicas finais para você começar a simplificar sua rotina agora mesmo:

1 Tire seus sapatos ao chegar em casa. Isso diminuirá a frequência com a qual você precisará limpar o chão.

2 Coloque os controles remotos dentro de um pequeno cesto e nunca mais os perca.

3 Coloque uma caixa de entrada na porta da frente de sua casa e organize as correspondências. Quer uma dica melhor? Mantenha ali somente o que for útil e jogue o resto fora.

4 Confira os aniversariantes do mês e compre todos os presentes com antecedência, de uma única vez.

5 Na cozinha, menos é mais! Se você não estiver usando um eletrodoméstico ou utensílio, doe. Isso vale especialmente para potes de plástico.

6 Compre toalhas de banho brancas para que as coloridas não desbotem quando você precisar lavar todas de uma vez.

7 Cole uma lista de contatos de emergência no telefone.

8 Deixe o carregador do celular sempre na bolsa para nunca ficar sem bateria ao longo de um dia de trabalho.

9 Passe a roupa somente uma vez por semana para economizar energia e paciência.

10 Utilize um organizador de fios atrás do *rack* e da mesa do computador.

11 Organize as roupas em seu armário, separando-as por duas categorias: de trabalho e casuais.

12 Faça uma coisa de cada vez.

13 Faça um pouco por vez.

14 Deixe sempre um livro na cabeceira da cama e procure ler um pouco todos os dias.

15 Não dá para organizar o que é tralha. Desfaça-se da tralha e só depois pense em organizar.

16 Compre menos para ter menos coisas em casa.

17 Escreva e-mails mais curtos.

18 Alugue em vez de comprar.

19 Não piore o que já está bagunçado.

20 Pague todas as contas assim que receber seu salário.

21 Tente diminuir a quantidade de reuniões.

22 Na sexta, faça uma lista de pendências e verifique-a na segunda-feira.

23 Quando folhear uma revista, marque com um clipe as matérias que realmente pretende ler e não perca tempo com o resto.

24 Coloque um cesto para roupas sujas no banheiro e pare de recolher o que ficou jogado no chão.

25 Instale um porta-chaves na entrada de casa, para que elas não se percam nem fiquem em cima da mesa de jantar.

26 Compre os presentes de Natal com antecedência.

27 Desabilite o notificador de e-mails.

28 Deixe mais acessível o que você usa no dia a dia.

29 Limpe a pia do banheiro depois de escovar os dentes.

30 Limpe o box durante o banho.

31 Limpe a pia depois de lavar a louça.

32 Lave o copo depois de beber água.

33 Lave a louça enquanto cozinha.

34 Acorde no horário certo, sem choradeira.

35 Priorize suas atividades todos os dias.

36 Dê menos desculpas.

37 Foque o essencial para ter menos do que não precisa.

38 Arrume a cama pela manhã.

39 Doe as roupas que você não usa mais.

40 Coma menos alimentos industrializados. Cozinhar pode dar mais trabalho, mas evita futuros problemas de saúde.

41 Instale um espelho na entrada de casa para não precisar ir até o banheiro dar uma última conferida no visual antes de sair.

42 Descubra a sua paixão e dedique-se a ela.

Epílogo

Segundo uma matéria que li, nós nos preocupamos tanto com o futuro porque não sabemos viver direito o presente. Projetamos lá na frente o que queremos ser e fazer, acreditando que, inadvertidamente, essas coisas acontecerão. Preste atenção: em dezembro, todo mundo começa a fazer as famosas resoluções de ano-novo. Quando chega janeiro, a ansiedade é grande, mas logo os sonhos são deixados de lado em decorrência da "correria do dia a dia". Estamos fazendo isso certo? Será que a vida é corrida mesmo ou apenas nos acostumamos com essa desculpa por não sabermos priorizar?

Acredito que seja importante se preocupar com o futuro. É claro: queremos ter uma vida tranquila, com saúde, sem problemas financeiros, com equilíbrio mental, enfim. Então é natural pensar no futuro, pois podemos tomar atitudes hoje com base no que queremos amanhã. O problema é quando não tomamos a atitude e vivemos somente no mundo das ideias. Sonhar é bom, mas basta? Não seria muito melhor se os nossos sonhos se tornassem realidade?

Você deve estar pensando que falar é fácil, mas eis o que penso a respeito do planejamento da vida: não acho que deva ser algo escrito em pedra, totalmente imutável, mesmo porque, sinceramente, quem faz isso? Quem planeja a vida para daqui a trinta anos e chega lá cumprindo exatamente tudo a que se propôs? Isso é muito difícil porque não só nós mudamos, como a sociedade muda, no geral, alterando todo o nosso contexto. Entretanto, dá para estabelecer um direcionamento, nem que seja apenas para começar.

Então, é disso que se trata: começar! Pensar no futuro, sim, mas começando hoje, agora! Porque algumas coisas são rápidas e outras levam tempo, mas nada acontecerá se você não der o primeiro passo.

Todos os dias começamos um novo ano. Vá em busca dos seus sonhos. Tenha objetivos, metas, organize-se para alcançá-los. A vida não precisa ser complicada, mas precisa ser vivida. Então viva de acordo com o que considera correto para você. Não existe outra maneira de ser organizado, a não ser viver com a certeza de estarmos fazendo no dia a dia o que é coerente com aquilo que somos.

Será que dá para viver sem pressa hoje em dia, sem precisar largar tudo para vender coco na praia?

A resposta é sim, claro. E a organização só tem a nos ajudar nesse caso. Tudo o que é feito com planejamento e antecedência acaba trazendo tranquilidade aos nossos dias. Deixemos o caos para as pessoas desorganizadas ao nosso redor, o que já é o suficiente.

A resposta, porém, pode ser não: saber dizer mais não. Conhecer nossos limites, saber até onde podemos ir, determinar a quantidade de coisas que conseguimos fazer, respeitar nossas horas suficientes de sono.

A vida é feita de escolhas, mas também de necessidades. Infelizmente, não são todas as pessoas que podem largar uma vida estressante para viver de um jeito melhor.

Epílogo

Sempre que penso que a vida está corrida, lembro-me de uma reportagem que mostrou o caso de uma senhora que precisa acordar às 4 horas para levar o filho de ônibus até a casa da cunhada para chegar ao trabalho às 8 horas, fazendo o mesmo percurso na volta e ainda tendo de cuidar da casa à noite, além de tentar descansar um pouco. Uma pessoa dessas tem condições de viver uma vida mais leve? Se ela tivesse oportunidade de estudar, sim. Como, porém, investir nos estudos com essa rotina?

O fato é que precisamos lidar com uma dose de pressa em nossa vida porque o mundo é assim. Se nós não somos, as pessoas o são. Logo, acredito que o mais importante seja conseguir manter certo equilíbrio interior, que garante ao menos a nossa sanidade diante de tantos problemas.

E como conseguir isso? Organizando-se? Em parte, sim, porque a organização nos proporciona tranquilidade. Quando temos nossos projetos sob controle, ficamos menos preocupados com o que precisamos fazer. Entretanto, não é só isso. A diferença está na atitude, em saber dizer não mesmo, além de tomar a decisão importante de pensar em você e em seus entes próximos em primeiro lugar. Ter foco. Foco é o segredo.

Existe uma frase famosa segundo a qual ninguém pode nos fazer sentir nada a não ser que a gente permita. Com relação à pressa, à ansiedade e à irritação, é assim também. Tente pegar mais leve no dia a dia, mantendo o bom humor nas situações estressantes, quando o semáforo fechar, quando tiver de encarar a fila da farmácia, quando receber uma conta que vence no dia seguinte. A partir do momento em que mudamos nossa postura interna, o mundo passa a girar mais devagar. As pessoas podem reclamar, pois estão em um círculo vicioso, mas somente nós podemos fazer algo por nós mesmos. Se isso é viver sem pressa, então que seja.

Afinal, para que as coisas aconteçam, só depende de você! Ter uma vida organizada é um jeito de fazer com que as coisas que são importantes para você possam acontecer. Então é isso, levante e comece! Lembre-se: sonho que é organizado vira objetivo. Não vale a pena olhar no espelho todos os dias e pensar: "É, meu amigo, mais um dia sem ir atrás daquele sonho". Você não precisa de mais nada além da sua mente e a decisão de começar já!

Ah, claro: sempre que quiser saber um pouco mais sobre como manter a vida organizada, dê uma olhadinha no blog www.vidaorganizada.com.

Organize sua agenda, faça suas listas e boa sorte!

Thais Godinho

LEIA TAMBÉM:

CASA ORGANIZADA
A arte da organização para transformar a casa e a rotina de quem não tem tempo

Este livro foi impresso pela
Gráfica Rettec em papel *offset* 75 g
em fevereiro de 2024.